DER TEPPICH

VON

TEST VALLEY

Umschlagfoto: Der Test bei Bossington

Der Teppich

von

Test Valley

Ein einzigartiges Kunstwerk,
das die Geschichte und
Naturschönheiten der Städte,
Dörfer und Gemeinden des
Test Valley-Kreises darstellt

Vorwort von
Lord Denning

Einleitung und Bildbeschreibungen von
Cyril Pigott

Entwurf und Satz: BAS Printers in Adobe Janson und Monotype Gill Sans.

Druck: BAS Printers Ltd, Over Wallop, Stockbridge, Hampshire.

Deutsche Übersetzung von Michael Redies.

ISBN 0 952 6946 3 8

INHALT

DÖRFER, STÄDTE UND GEMEINDEN DES TEPPICHS

DER TEST VALLEY-KREIS

Diese Karte zeigt die Grenzen des Test Valley Boroughs und Hampshire Countys, wie sie zu der Zeit waren, als der Teppich in Arbeit war. Später, 1992, wurde South Tidworth Teil Wiltshires.

Die detaillierten Beschreibungen der einzelnen Tafeln enthalten auch Karten der jeweiligen Orte.

VORWORT

Im Juni 1990 eröffnete Lord Denning, ein gefeierter ehemaliger Schüler der Grundschule von Andover, der nahe des Flusses Test bei Whitchurch lebt, die erste öffentliche Ausstellung des Teppichs von Test Valley im Museum von Andover (im Gebäude der ehemaligen Grundschule).

VON LORD DENNING

Ich möchte dem Leser dieses Buch empfehlen, das die Geschichte der Dörfer und Städte in unserem wunderschönen Test Valley erzählt. Gute Leute aus jedem einzelnen leisteten ihren Beitrag.

Unsere Dörfer im Test Valley blicken auf eine mehr als tausendjährige Geschichte zurück, die mit Alfred dem Großen begann. Die Dörfler bauten ihre Hütten nahe am Fluß, so daß ihre Tiere Zugang zum Wasser hatten. Ihr eigenes Wasser schöpften sie aus Brunnen. Ihre Kirchen bauten sie aus Kalk- und Feuerstein. Sie waren ein gutes Volk.

Der Teppich ist ein großartiges Zeugnis der Vergangenheit, und ich hoffe sehr, daß viele ihn sehen und seine Schönheit und die viele Arbeit, die in ihm steckt, zu schätzen wissen werden.

Laurie Porter ist der Urheber dieses Projekts, und er tat viel für seine Verwirklichung. Es ist traurig, daß er das Erscheinen dieses Buches nicht mehr erlebte, aber wir werden uns an ihn als die Triebfeder des Unternehmens erinnern. Auf eine gewisse Weise ist es ein Denkmal für ihn.

Denning

PROLOG

Der Bezirk des Test Valley, der so wunderschön auf dem „Teppich von Test Valley" dargestellt wird, ist mit einer Fläche von nahezu 400 Quadratkilometern einer von Hampshires größten Kreisen. Die 102.000-köpfige Bevölkerung verteilt sich gleichmäßig zwischen den beiden Hauptstädten Andover und Romsey und den Dörfern und Gemeinden des umliegenden Landes.

Das Tal des Flusses Test und seiner Zuflüsse ist das Rückgrat einer der wahrscheinlich schönsten Gegenden Englands und reich an Geschichte und Naturschönheit. Es ist eine Freude für seine Bewohner und alle Besucher.

Die Kreisverwaltung des Test Valley wurde geschaffen, als im April 1974 die Stadtbezirke Andover und Romsey und die Landgemeinden, die zu Andover, Romsey und Stockbridge gehörten, zu einer Einheit zusammengefaßt wurden. Nachdem ihm der Status eines *Borough Council* verliehen wurde, umfaßt das Test Valley heute 56 Gemeinden, die fast alle auf dem Teppich vertreten sind.

Der berechtigte Stolz auf das Test Valley, den seine Einwohner empfinden, zeigt sich deutlich auf dem Teppich, zu dessen Entstehung so viele Menschen im ganzen Kreis beigetragen haben.

Der Test Valley-Kreis steht bei all diesen Menschen in einer großen Dankesschuld. Ich glaube, sie wären die ersten, die zugeben würden, daß das Projekt, das ein schönes und einzigartiges Beispiel für Gemeindezusammenarbeit ist, nicht ohne die Phantasie und Zähigkeit des früheren Bürgermeisters von Andover und dem Test Valley, Laurie Porter, zustande gekommen wäre.

Ich hoffe sehr, daß Ihnen dieses Buch gefallen wird. Meiner Meinung nach spiegelt es den Charakter der Gegend wieder, sowohl im Bild als auch dadurch, daß es wichtige Ereignisse nicht nur des letzten Jahrzehnts, in dem der Teppich entstand, sondern der letzten Jahrhunderte auf eine Art behandelt, wie sie kein anderer Führer oder ein Nachschlagewerk bieten könnte.

Wenn Sie nicht hier leben, wird das Buch vielleicht den Wunsch in Ihnen wecken, hierher zu reisen und mehr zu erfahren. Was für einen besseren Anfangspunkt könnte es geben als den Teppich von Test Valley hier in Beech Hurst, Andover?

Abschließend möchte ich Cyril Pigott meinen besonderen Dank sowohl für seine tiefgehenden Studien ausdrücken, die er in Vorbereitung für dieses Buch getrieben hat, als auch für die Einleitung und die genaue Beschreibung jeder Tafel. Außerdem danke ich Robina Orchard für den Abschnitt über den Entwurf und die Ausführung der Stickarbeiten; ebenso meinem Assistenten Nigel Sacree für seinen Enthusiasmus, den er beim „alle Fäden zusammenziehen" an den Tag legte, und der BAS Printers Ltd. für ihre Unterstützung und Sorgfalt in der Herstellung dieses Buches.

Gerry Blythe

Hauptgeschäftsführer (1983–1996)
Test Valley Borough Council

© Crown copyright licence no. LA079715

ix

EINLEITUNG

Der „Teppich" von Test Valley wurde 1994 vollendet, zehn Jahre nachdem der ehrgeizige Plan von Herrn Laurie Porter ins Leben gerufen worden war.

Obwohl der Teppich technisch gesehen eine Stickarbeit ist, behalten die Alliterationen und das historische Beispiel die Oberhand.

Auf jeden Fall ist er ein ebenso bemerkenswertes wie eindrucksvolles Beispiel für Gemeinde-Kooperation, und natürlich ein wunderschönes Kunstwerk, das in diesem Land einmalig ist. Er wird zukünftigen Generationen Freude machen und ihnen eine historische Perspektive dieser Gegend und unserer Zeit eröffnen.

Laurie Porter wurde in Andover geboren und erzogen, und er lernte, das herrliche Test Valley zu lieben. An den Schulen von Romsey und Andover wirkte er als Lehrer und spielte eine aktive Rolle im öffentlichen Leben. Zweimal war er Bürgermeister vom Kreis Andover, und einmal Bürgermeister des Test Valley-Kreises.

In seinem Jahr als Bürgermeister des Test Valley, 1983 bis 1984, träumte er zum ersten Mal davon, das Test Valley auf Leinwand und mit Wolle darzustellen. Das fertige Werk stellte er sich ähnlich wie den Teppich von Bayeux vor, allerdings in einzelnen Tafeln.

In einer Schrift vom 9. Februar 1984 machte er seine Kollegen aus dem Stadtrat auf den Teppich von Bayeux aufmerksam und schlug vor, daß die Naturschönheiten und die abwechslungsreiche Geschichte der Gegend auf eine ähnliche Art dargestellt werden sollten. Seine Schrift forderte die Ratsherren auf, die „Machbarkeit, einen Test Valley Wandteppich für den Plenarsaal in der Guildhall von Andover anfertigen zu lassen" zu diskutieren.

Es wurde vorgeschlagen, daß das Projekt „von Freiwilligen in einem Zeitraum von vielleicht drei oder vier Jahren" ausgeführt werden könne. Der fertige Teppich sollte aus 10 Tafeln bestehen, von denen jede 42 Inch (etwa 1,10m) breit und 24 Inch (etwa 61cm) hoch sein sollte. Drei sollten Andover vorstellen, drei Romsey, und die restlichen die verschiedenen Gemeinden.

Ein Mittelstreifen von 45cm Höhe „könnte ein stylisiertes Panorama der ländlichen und städtischen Gegebenheiten des Test Valley darstellen," und ein knapp 8cm-Fries an den Ober- und Unterkanten sollte für die Darstellung historischer Informationen genutzt werden, die im Hauptteil nicht untergebracht werden konnten, wie Beispiele der lokalen Industrie, Flora, Fauna, und Aspekte des modernen Lebens.

Was die technische und künstlerische

Laurie Porter

2

Unterstützung anging, so konnte Mr Porter sich auf die Kompetenz der beiden ortsansässigen Stickerinnen Robina Orchard und Meg McConnel verlassen.

Der Versuch, den finanziellen Aufwand zu schätzen, brachte dieses Ergebnis: „Über einen Zeitraum von vielleicht vier Jahren dürften die Kosten des Materials sich auf £500 bis £600 belaufen (damals ca. DM 1500-1800), einschließlich eines Spielraums für Eventualitäten. Der Wert des fertigen „Teppichs", der aus drei bis vier Millionen Stichen bestehen sollte, würde für Versicherungszwecke wahrscheinlich auf mehrere Tausend Pfund angesetzt werden."

In einer prophetischen Notiz schrieb Mr Porter: „Das Projekt wird so viel freiwillige Arbeit über einen so großen Zeitraum verschlingen, daß es sich nicht lohnt, es zu beginnen, wenn das Ergebnis nicht von feinstmöglicher künstlerischer Qualität ist, die von keinem anderen Kreis des Landes übertroffen werden kann." Die Ratsherren wurden damit beauftragt, freiwillige Helfer für die Verwirklichung des Projekts zu werben.

Als er erkannte, daß er ein größeres Publikum benötigte, sandte Porter Kopien seines Entwurfs an alle Gemeinderäte und Frauenorganisationen der Gegend. Glücklicherweise lohnte sich seine

Hartnäckigkeit, und nach und nach begannen die Dörfer, ihm Entwürfe zur Prüfung zu senden. In der Zwischenzeit hatte die Kreisregierung des Test Valley beschlossen, die Materialkosten aus dem Lotteriefonds zu finanzieren.

Niemand hätte damals ahnen können, daß das Projekt bis zu seiner Vollendung zehn Jahre dauern, das Ergebnis nahezu doppelt so groß sein sollte, wie Laurie Porter es sich ursprünglich vorgestellt hatte (viel zu groß, als daß es die Guildhall von Andover hätte beherbergen können), und daß beinahe jede Gemeinde des Kreises beteiligt sein würde.

Die Tafel aus Houghton, Bossington und Broughton werden der Bürgermeisterin des Test Valley, Mrs. Pamela White, übergeben

Leider erlebte Mr. Porter die Vollendung nicht mehr. Als er im Mai 1993 im Alter von 75 Jahren starb, waren die letzten beiden Tafeln noch in Arbeit. Der Teppich von Test Valley wird sein bleibendes Denkmal sein.

Die Dörfer machten sich auf verschiedene Weise an das Problem heran. Nicht nur welches künstlerische Talent verfügbar war, war wichtig, sondern auch, wer mitarbeiten sollte. In King's Somborne wurde von vornherein beschlossen, daß jeder unabhängig von seiner Erfahrung helfen dürfen sollte. Die Leinwand, auf der das Muster aufgemalt war, ging von einer Dorforganisation zur nächsten, von Haus zu Haus und auch zur Dorfschule, wo jeder der 100 Schüler unter sorgfältiger Aufsicht ein paar Stiche beitrug. Am Ende hatten 320 Menschen (deren Namen auf der Rückseite des Bildes verewigt wurden) mitgewirkt. Es war der erste fertige Teil des Teppichs und wurde im Herbst 1987 überreicht.

Auf der anderen Seite gab es auch Teile, die ganz von einer einzelnen Person oder einer kleinen Gruppe angefertigt wurden. Einige Gemeinden schreckten vor der immensen Aufgabe zurück, eine ganze Tafel allein zu gestalten (258.000 Stiche!) und teilten sich die Arbeit mit ihren Nachbarn, so daß jede Gemeinde nur ein Drittel einer Tafel oder weniger übernahm.

Zusammen bannten sie einen Überfluß von Fauna und Geschichte auf den Teppich, wichtige Gebäude und Denkmäler, Schönheiten, Gewerbezweige, lokale Persönlichkeiten und zeitgenössische Ereignisse: Es entstand ein unglaubliches visuelles Zeitdokument.

Als das Projekt in den achtziger Jahren eine Eigendynamik entwickelte und mehr Dörfer ermutigt wurden, teilzunehmen, wurde Laurie klar, daß seine ursprüngliche Zeitplanung unrealistisch gewesen war.

1990 setzte er eine optimistische Frist und bat, die fertigen Arbeiten Ende Mai des Jahres abzugeben. Bei einer Zeremonie im Cricklade-Theater in Andover im Juni 1990 übergaben die Vertreter der verschiedenen Stickgruppen ihre fertigen Stücke an die Ratsherrin Mrs Pamela White, die mittlerweile Bürgermeisterin des Test Valley geworden war.

„Dies ist nun für immer ein Teil der Geschichte des Test Valley," sagte sie und dankte Laurie Porter wärmstens für seine „Entschlossenheit, Beharrlichkeit und diplomatisches Vorgehen," mit dem er „das Projekt begonnen und auf Kurs gehalten" hatte. Jede Gemeinde erhielt ein originalgroßes Foto seiner Tafel, um sie lokal ausstellen zu können.

Im folgenden Monat wurden die gestickten Tafeln erstmals in einer Ausstellung im Andover Museum gezeigt, die von Lord Denning eröffnet wurde.

Später wurden sie auch im Rathaus von Stockbridge und Romsey Abbey ausgestellt, so daß 2000 Menschen sie sehen und ihre Vielfalt und handwerkliche Meisterschaft bewundern konnten.

Die Publicity veranlaßte die wenigen Gemeinden, die sich nicht von Anfang an beteiligt hatten, die Arbeit sofort aufzunehmen. Heute sind nahezu alle Gemeinden des Kreises, einschließlich 70 Ortschaften und Dörfer sowie der Städte Andover und Romsey vertreten. Der Traum Lauries hat sich damit mehr als erfüllt.

Nachdem zur Frage der Rahmung der Rat des Victoria and Albert-Museums eingeholt

Lord und Lady Denning (rechts) im Andover Museum mit Laurie Porter und Councillor Mrs. Pamela White

worden war, wurden die Tafeln in den Konferenzsaal des neuen Test Valley Kreis-Verwaltungsgebäudes in Beech Hurst, Andover gehängt. Hier sind die unersetzlichen und unschätzbaren Teppiche sicher in einer kontrollierten Umgebung und der Öffentlichkeit nach Terminabsprache zugänglich.

Der Teppich hat eine Anzahl anderer Projekte angeregt, darunter auch die Komposition einer Suite mit dem Namen „The Test Valley Suite", die vom *Test Valley Borough Council* in Auftrag gegeben und von *Southern Arts* und dem *Hampshire County Council* unterstützt wurde.

Diese Suite, bestehend aus elf separaten Volksweisen, wurde von John Kirkpatrick komponiert. Sie wurde im Mai 1992 auf klassischen und Folkinstrumenten in Andover und Romsey von einem Ensemble uraufgeführt, das sich aus dem Komponisten und fünf anderen Musikern zusammensetzte, von denen vier Mitglieder der Bournemouth Sinfonietta waren.

Einige der Melodien wurden daraufhin für Schulmusikgruppen adaptiert. Roger Watson vom *Traditional Arts Project* besuchte jede der sieben Grundschulen, die zur Test Valley-Schule in Stockbridge gehören, und erarbeitete mit den Kindern passende Texte. Sandra Howlett arbeitete mit den

John Kirkpatrick, der Komponist der Test Valley Suite (Akkordeon und Ziehharmonika), Sue Harris (Oboe und Hackbrett), Suzanne Kingham (Violine), Jane Coster (Flöte), John Ewart (Fagott) und Andrew Baker (Kontrabaß)

Musiklehreren der Schulen und brachte die Lieder verschiedenen Chören bei: *Welcome Song* – Broughton; *The River* – Stockbridge; *The Farmer's Life* – Wherwell; *The World Keeps Turning Round* – Wallop; *The Ballad of Lockerley School* – Lockerley; *Grey and Green* – West Tytherley, und *The Tapestry* – Stockbridge.

Im Juli 1993 erfreute die Suite, die diesmal mit einem großen Kinderchor und sieben Instrumentalisten des *Hampshire Music Service* unter dem Stab Richard Howletts aufgeführt wurde, ein riesiges Publikum in der Test Valley- Schule. Unter den Zuhörern war auch Mrs Gleny Porter, Lauries Witwe.

Zusätzlich gibt es ein Orchester-Arrangement der Musik von Major Ron Berry, einem ortsansässigen Musiker.

Um den Teppich so zugänglich wie nur möglich zu machen hat das *Borough Council* laminierte Fotografien in Originalgröße anfertigen lassen, die sich bei Ausstellungen und Vorträgen großer Beliebtheit erfreuen. Kopien in Orighinalgröße gibt es außerdem in den Verwaltungsbüros in der Duttons Road in Romsey zu sehen. Artikel in lokalen und regionalen Zeitungen haben die Aufmerksamkeit einer größeren Öffentlichkeit auf den Teppich gelenkt; ebenso Beiträge in nationalen Zeitschriften und eine Sendung der BBC South Television. Die speziell angefertigten Farb-Postkarten sind durchs ganze Land und nach Übersee verschickt worden.

Niemand, der das Glück hat, den Teppich betrachten zu können, wird sich der Bewunderung entziehen können, die die große Weite, die Schönheit und die Feinheiten dieser einzigartigen Darstellung des Test Valley hervorrufen. Jeder, der irgendwie an dem Projekt beteiligt ist, kann stolz sein auf seine Mitarbeit.

„AM ANFANG"

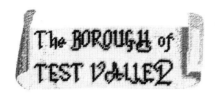

Eine persönliche Zusammenfassung der Anfänge des Teppichs, von Robina Orchard

Kurz bevor ich Laurie Porter traf, legte ich meine Stickerei-Prüfungen ab. Er erzählte mir von seinem Traum. Wir hatten beide die Domesday-Ausstellung und Holzschnitzereien des Teppichs von Bayeux in der Guildhall von Winchester gesehen, und so kam uns die Idee, das Test Valley durch Stickerei darzustellen.

Als Prüfungsstück hatte ich schon eine Szene aus meinem Heimatdorf Amport verwendet, aber das war keine Leinwandarbeit gewesen. Der Gedanke, am Teppich von Test Valley mitzuarbeiten, wirkte wie ein Magnet. Ich stellte Laurie die Stick-Lehrerin Meg McConnell vor. Meg wohnte in Monxton, einem Nachbardorf, und wir hatten uns bei unseren Prüfungen kennengelernt. Zusammen halfen wir Laurie mit dem Start und während der „Operationstreffen", die in der Guildhall von Andover stattfanden. Bei diesen Treffen wurden alle Aspekte der Arbeit besprochen, wie die Stiche und die Größe der Leinwand. Meg und ich machten Vorschläge für die Hauptszenen. Diese wurden dann zu den Treffen mitgebracht – Entwürfe mit Kuli auf Millimeterpapier, Pastell-Zeichnungen oder gar Wasserfarben von lokalen Künstlern. Die Farben wählte ich nach den Vorgaben aus Houghton, Bossington und Broughton. Wir kamen überein, daß die Mittelstücke aus verschiedenen Stichen gestickt, während die Ränder durch den Strichstich einfach gehalten werden sollten.

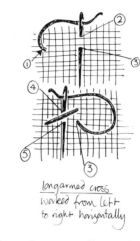

Langseitigen Kreuzstich

Bieder Arbeit am Mittelstück beschlossen wir, daß die Ränder aller „Teppiche" einheitlich sein sollten. Außerdem sollten sie oben durch blaue Linien im langseitigen Kreuzstich, unten durch grüne betont werden, mit Teilungslinien in beiden Farben. Unsere Instruktionen schrieben wir nicht auf, so daß sie vom Schreiber zum Techniker adaptiert wurden!

DAS ZUSAMMENFÜGEN

Die Tafeln wurden durch den Rückstich in jedes Loch zusammengefügt, wobei eine Naht von etwa vier Reihen entstand. Es wurde vorgeschlagen, daß die Stickerei etwa einen Zentimeter vor der Naht aufhören solle, so daß ein kleines Stück blieb, das der Verbindung der Bilder dienen konnte. Diesem Vorschlag verwirklichte ich in Monxton, Amport und Grateley. Sie werden sehen, daß es bei den Tafeln aus diesen Orten schwer ist, die Nähte zu finden. Viele der anderen Tafeln wurden nicht aus einem Stück Leinwand gearbeitet oder waren nicht so konzipiert, daß sie sich zu einer Szene zusammenfügten. Dieses Problem lösten wir, indem wir die Nahtstelle mit dem langseitigen Kreuzstich überbrückten.

DIE STICKEREI-STICHE

Schlichen sich langsam ein, um die Szenen zu betonen. Wir wußten, daß es funktionieren würde, weil die „Teppiche" verglast und als Bilder aufgehängt werden sollten. Ähnliche Szenen könnten für Kissen, Tagesdecken oder auch Kniekissen verwendet werden, wobei man aber darauf achten müßte, daß die Stiche fest auf der Leinwand sitzen und nicht nur lose wie die Stickereien.

Französische Knötchenstiche

Französische Knötchenstiche wurden in allen Tafeln benutzt um Schafe, Blumen und Blüten darzustellen; in meiner Tafel noch als Rand mit Kühen und Petersilie zwischen dem Dorfanger und der Straße. Drei Farben wurden benutzt: gelb, grün und weiß. Auf der Tafel des Stückes aus Grateley wurden die Blüten der Roßkastanie frei gestaltet, ebenso die Narzissen in der Szene aus Thruxton, Fyfield und Kimpton.

Details auf engem Raum darzustellen ist immer schwierig. Oft wurden Szenen erst ausprobiert, bevor sie umgesetzt wurden. In Tangley, Hatherden und Wildhern lohnte diese Mühe sich besonders: Die Näher umrahmten die Cricket-Spieler vorsichtig mit schwarzem Stickerei-Faden und weckten damit den Eindruck echter Bewegung.

Der Verbundstich wurde in dem Stück aus Monxton, Amport und Grateley benutzt, um die Tänzer unter dem Maibaum und den Pelzmantel der 'Mrs.Mac's' darzustellen. Die Kleider waren weiß mit blauem Rick-Rack. Die Zöpfe waren geschlagen, ebenso der Eisenzaun der Schule von Grateley.

DIE LEINWAND-STICHE
Auch für Uneingeweihte sind die Tafeln voll Phantasie und Originalität. Indem ich die

Strichstich

Vielfalt der Stiche erkläre, möchte ich diesen Eindruck noch vertiefen. Ein Teil der Bilder ist hauptsächlich im Strichstich gehalten. Der profitiert jedoch nicht von Licht-Reflektion – er ist flach wie eine gewobene Fläche. Wo dieser Stich benutzt wurde, ist Farbe eingesetzt

worden, um Akzente zu setzen. Es ist einer der wenigen Stiche, die das Gefühl eines Gemäldes vermitteln können wenn gut akzentuiert wird. Es ist ein zeitaufwendiger Stich, und die Partien, die von einer einzelnen Person gestickt wurden, brauchten viele Stunden Arbeit. Die Tafel aus Abbotts Ann ist auf diese Weise von einem Einzelnen hergestellt worden, der auch seine eigenen Farben aussuchte – eine Mammut-Aufgabe.

Landschaft
Auf vielen Tafeln werden Felder dargestellt. Ich bewundere den Erfindergeist, der hier zutage tritt: geschnittener und ungeschnittener Weizen, Mähdrescher und Traktoren, gepflügte Felder und Wiesen, Kühe und Schafe. Vielleicht fehlen noch ein paar Schweine – es gibt genug davon!

Unter den Stichen finden wir den fetten Gobelinstich; Kästchenstich; Kreuzstich; Florentinerstich; Kaschmir; den diagonalen und langseitigen Kreuzstich. Im Bild von Clatfords und Barton Stacey gibt es außerdem eine interessante Kombination von Ketten- und Kästchenstichen.

Der Florentiner Stich

Büsche und Bäume

sind durch verschiedene Stiche dargestellt. Der Kreuzstich, der manchmal gemeinsam mit dem Strichstich verwendet wird, vermittelt Textur. Französische Knötchenstiche sind auch beliebt und manchmal locker geknüpft. Bäume werden in der Entfernung am besten durch den Ungarischen und eine Form des Florentinerstiches dargestellt. Beide gehen schnell von der Hand und lassen rasch ein schönes Abbild entstehen. Wenn Sie jedoch detaillierte Darstellungen suchen, so gibt es den Blattstich, der einigen Tafeln zum Vorteil gereicht.

Leaf Stitch used for the ear of corn on the Map.

Blattstich

Wasser

In den Bächen und Flüssen gibt es kaum Variation was die Stiche betrifft. Der Florentiner und der Kästchenstich sind die am häufigsten anzutreffenden, und sie tragen den glitzernden Wellen der kalkigen Bäche Rechnung, die hier durchs Land fließen. Hier haben auch Seidenfäden, gemischt mit Wolle, ihre Anwendung gefunden; sie illustrieren das juwelenhafte Plätschern der fließenden Ströme.

Schafe

In manchen jahreszeiten dominieren Schafe die Felder. Diese Kreaturen sind amüsant und abwechslungsreich dargestellt. Einige Schafe wurden sauber im Strichstich gestickt, andere sind in ihrem Naturzustand, in rauher Wolle, belassen worden. Daß die verschiedenen Rassen fast zahllos sind, braucht kaum gesagt zu werden. Einige tragen runde Gesichter und strenge, runde Wollocken, während andere Korkenzieherlocken und schwarze Nasen und Füße haben. Die „Test Valley-Schafe" – ich bin sicher, daß sie in Zukunft so genannt werden – haben ein ganz eigenes Äußeres entwickelt.

Detaildarstellung Schafe

Gebäude

In unseren Dörfern kann man überall schachbrettartige Muster aus Ziegel und Feuerstein sehen. Schöne Beispiele liefern Longparish und Kimpton. Diese Wände wurden dargestellt, indem verschiedene Fäden zusammengestellt und einfallsreich phantasievolle Stiche verwandt wurden. Zu den Stichen gehören der Smyrna- oder Sternstich, der flache Kreuzstich, der lange und der einfache Kreuzstich.

Steinhäuser in dieser Gegend sind meistens modern oder viktorianisch. Feuerstein wird gelegentlich noch zu dekorativen Zwecken benutzt. Die Ziegel werden durch Stiche von Strichstich und flachem Kreuzstich bis zum Gobelin, ungarischem und diagonalem Kreuzstich dargestellt – alles exzellente Methoden.

Rietgedeckte Häuser gibt es ebenfalls in jedem Dorf in größerer Zahl. Um die Rustikalität der Dächer zu veranschaulichen, wurden außergewöhnliche Stiche eingesetzt. In der Tafel aus Penton wurde auf effektvolle Weise der flache Kreuzstich benutzt; andere gebrauchten Varianten des fetten Gobelinstichs. Für das neue goldene Strohdach am Fluß setzte man in Stockton den Florentinerstich ein.

Schnee

Ab und zu schneit es auch im Test Valley; in einigen Dörfern mehr als in anderen. Einigen von uns gelang es, die Jahreszeiten auf subtile Art in die Bilder einzubringen, indem sie Glockenblumen, blühende Rosen, Schwarzbeeren und Winterbäume aufnahmen. Auf einer Tafel (aus Vernham Dean) gibt es eine wunderschöne Interpretation schneebedeckter Felder, die in die anderen Jahreszeiten übergehen. Von einem kleinen Fenster in der Bildmitte hängen Eiszapfen herab. Für das schneebedeckte Stroh wurde der Rhodesstich mit interessanten Farben angewandt.

So wurde an der Tafel aus Knights Enham, Enham Alamein nach Fotos gearbeitet

VOM PAPIER AUF DIE LEINWAND

Viele der Leinwände wurden erst mit wasserfester Tinte bemalt, manchmal mit einem Foto als Pausvorlage. Umrisse auf Papier sind mit Fotokopierern vergrößert worden.

Nach meiner eigenen Erfahrung ist es leichter, mit einer farbigen Vorlage und Fotos zu arbeiten, als die Leinwand selbst mit Öl oder Acrylfarben zu bemalen. Bemalte Leinwand haben wir an der Tafel aus Amford ausprobiert, da dies die Arbeit für Anfänger erleichtern sollte; aber der Effekt war nicht wie erhofft.

Vom Teppich von Test Valley inspiriert habe ich später an einem wesentlich größeren Leinwandbild gearbeitet. Es ist größer als ein Einzelbett, etwa 180cm x 120cm, mit nur etwa 40 cm^2 im Strichstich. Für den Rest nahm ich den schnellen Kästchenstich. Die Zeichenvorlage verlangte mein ganzes Können. Die Leinwand legte ich dann über die Zeichnung und zog die Umrisse nach. Die feineren Deatails zeichnete ich auf Millimeterpapier. (Ich erwähne dies für den Fall, daß Sie sich von dem Teppich ebenfalls inspiriert fühlen sollten, ihre Ideen aufzusticken.)

Farbvorlage für eine Leinwand

DIE LANDKARTE

Um die Größe der Stockbridge-Tafel als Standard nehmen zu können, einigten wir uns – eher als Nachgedanke – darauf, eine Landkarte des Test Valley-Kreises dazuzunehmen. Sie mußte genau 24 Stiche pro Inch haben. Dazu benutzte ich Appletons Crewel-Wolle mit pearlé-Fäden für die Schrift und DMC Stickgarn für das Wappen, den Kompaß und die Schrift am unteren Rand.

Diese Aufgabe war sehr zeitintensiv und kostete mich pro Quadratzentimeter fast eine halbe Stunde. Ich übernahm die Buchstaben und experimentierte mit Garn verschiedener Stärken. Zunächst wollte ich in Grau- und Sepiatönen arbeiten, wie auf alten Pergamenten, aber dann setzte die Farbe sich durch, um den Farben aus Stockbridge zu entsprechen.

Die Schafe werden von Wales durch Stockbridge zu dem Jahrmarkt von Weyhill getrieben, der durch den Schriftsteller Thomas Hardy berühmt wurde. Als Vorlage diente mir ein Foto des Test Valley-Wappens. Der Ausschnitt aus Tennysons Gedicht „The Brook" wurde 1990 bei der ersten Ausstellung im Museum von Andover von Lord Denning zitiert.

Die Karte des Kreises von Test Valley auf der Tafel aus Stockbridge

Der Geißbock, Mohn, Weizen und der Kompaß mit seinen Prismen sind alle durch Oberflächenstiche dargestellt. Die Stiche sind byzantinischer Stich und ein geflochtenes Spinnennetz für den Mohn, Blattstich für den Weizen, und Kettenstich mit ein wenig Nadelwebarbeit für die Gräser.

Der Bock ist aus französischem Knötchenstich mit Hörnern aus Bortenstich.

Sie sehen, daß der Fluß nordöstlich von Andover entspringt und Richtung Southampton Water fließt. Bevor er in den Test Valley-Kreis kommt, passiert er Whitchurch, Lord Dennings Gebiet. Auf dem Weg durch Stockbridge mit seinem berühmten Angelverein (dargestellt durch die mittlere Forelle) kommen viele Nebenflüsse hinzu.

TECHNISCHE DETAILS

Um den Stickerinnen das Mischen der Farben zu erlauben, wurde Appletons Crewel Wolle gewählt. Kurze Fäden empfehlen sich, da die Leinwand dem Garn zusetzt. Stickfäden können unter die Wolle gemischt werden, um den leuchtenden Effekt zu erzielen, den Objekte wie Eisvögel, große Blätter, Fische und Flüsse erfordern. Im allgemeinen wurden drei Fäden durch die Nadel gezogen, um die größtmögliche Flächendeckung zu erzielen. Diese Regel wurde allerdings nicht immer beachtet, da einige Stiche weniger Faden erfordern.

SPEZIFIKATIONEN

Leinwand	16 Fäden pro Inch - in Rahmen gearbeitet
Tafelgröße	Generell 61 x 106,5 cm (die Breite der fertigen Tafeln variiert zwischen 106 und 115 cm)
Ränder	(oben und unten) 7,6 cm
Mittelteil	45,7 cm
Rahmen	langseitiger Kreuzstich
Andere Stiche	Strich-/halber Kreuzstich und viele Leinwand-Stiche und Stickstiche
Garn	Appletons Crewel Wolle und Stickfäden

Es gab Variationen zu diesem Standard. So wurde die Karte des Test Valley zum Beispiel mit 24 Fäden pro Inch gearbeitet; auf der Tafel aus Abbotts Ann sind die Ränder 10 cm breit, der Mittelteil ist 40,6 cm; die Gesamtbreite beträgt 91 cm und ist mit 18 Fäden pro Inch gearbeitet.

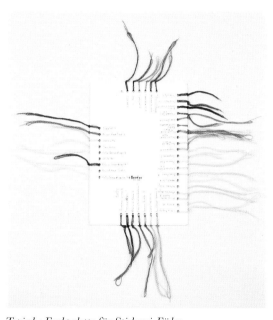

Typische Farbpalette für Stickerei-Fäden

DIE TAFELN DES TEPPICHS

Vernham Dean
Linkenholt
Upton
Faccombe
Hurstbourne Tarrant

VERNHAM DEAN, LINKENHOLT, UPTON, FACCOMBE und HURSTBOURNE TARRANT

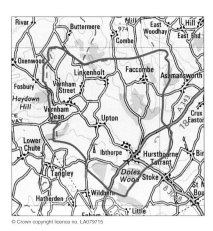

© Crown copyright licence no. LA079715

Diese Dörfer schließen das Kirchengut von Hurstbourne Tarrant (St.Peter) Faccombe (St. Barnabas), Vernham Dean (St. Mary the Virgin) und Linkenholt (St.Peter) ein. Faccombe ist nicht nur die nördlichste Gemeinde des Test-Valley-Kreises, sondern mit 800m über dem Meeresspiegel auch die am höchsten gelegene, und bietet eine wundervolle Aussicht über die Tiefen von North Wessex nach Wiltshire und Berkshire. Der Nachbarort Linkenholt, eine winzige Gemeinde mit nur ein paar verstreuten Bauernhöfen, ist ebenfalls reich an natürlicher Schönheit. Von hier aus fällt der Boden steil nach Vernham Dean ab, einer Gemeinde, die aus mehreren kleinen Dörfern besteht, darunter Upton. Hier hat ein kleiner Bach namens Bourne seinen Ursprung. Durch Upton hindurch fließt jedoch der Swift, der sich bei Hurstbourne Tarrant mit dem Bourne vereinigt. Um den Weiher in der Dorfmitte sind einige pittoreske rietgedeckte Häuser verstreut. In dieser Ecke des Test Valley treffen drei Counties aufeinander – Hampshire, Wiltshire und Berkshire.

Hurstbourne Tarrant war einst eine sächsische Siedlung (Hissaburnham), ein Teil des extensiven Königswaldes. Hurstbourne wurde 1266 dem zisterziensischen Nonnenkloster von Tarrant in Dorset zugeschlagen; daher der Name. Der Schriftsteller William Cobbett liebte das Dorf und weilte dort oft bei seinem Freund Joseph Blount auf der Rookery Farm, wo er einen großen Teil seines Buches „Rural Rides" schrieb. Mehr als 20 Mal nannte er darin „das Dorf Uphusband, dessen rechtlicher Name Hurstbourne Tarrant ist." Einmal bemerkte er: „Ich liebe diesen Ort." Der sehr große Grabstein seines Freundes Joseph befindet sich neben dem Eingangstor der Kirche. Er hatte verfügt, daß der Stein so groß sein solle, daß Kinder Murmeln darauf spielen können.

Oberer Rand

Das *Abzeichen des Women's Institute* und die Rose von Hampshire; das *Emblem des Forstamts*, zu der auch die Faccombe Estate mit jetzt 1618 Hektar gehört; *Geist eines Klerikers*, der in Conholt Hill spukt. Die Legende will, daß der Pfarrer während der Pest von 1665 aus Angst vor der Krankheit die Opfer überredete, sich auf dem Hügelgipfel zu versammeln. Er versprach, ihnen dorthin Lebensmittel und Medizin zu bringen, ließ sie aber im Stich. Schließlich steckte aber auch er sich an und starb. Viele behaupten, seinen Geist gesehen zu haben;

das Zeichen des *Manor Farm Milchhofs*; das *Banner des Linkenholt Cricket Klubs*; die *Sonderbriefmarke zur Erinnerung an die Verlobung von Prinz Andrew und Sarah Ferguson*. Das *Wappen der Mother's Union*; das *Zeichen des Boot Inn*, heute ein Privathaus; das *Abzeichen der Royal British Legion*; *Reiten für Behinderte*; der *Halleysche Komet*, der 1986 auftauchte. Der Komet ist auch auf dem Teppich von Bayeux. Das *Abzeichen der Girl Guide-Bewegung*; die *Olympischen Ringe* der Spiele 1988 in Seoul.

Mittelteil

Selbstverständlich spielen die vier Kirchen eine große Rolle. Oben zur linken, unter dem Banner des Cricket-Klubs, ist die *Peterskirche in Linkenholt*. Sie wurde 1871 vor den Gutshof verlegt. Teile der alten Kirche, einschließlich des Südtores aus dem 12.Jahrhundert, wurden erhalten. Der trommelförmige Taufbrunnen mit den sich zuspitzenden Seiten ist normannisch. Gegenüber auf der rechten Seite befindet sich die *Barnabaskirche aus Faccombe*. Sie wurde 1866 aus Stein und Feuerstein im Stil des 14.Jahrhunderts erbaut. Sie ersetzte die Michaelskirche in dem kleinen Ort Netherton. Das Taufbecken und einige der Bildtafeln wurden in die neue Kirche

gebracht. Der Raum zwischen den beiden Kirchen repräsentiert die Aussicht von Vernham Dean nach Linkenholt. Unter der Kirche von Linkenholt sieht man die *Marienkirche aus Vernham Dean*. Die ältesten Teile sind die Nordwand des Hauptschiffs und das Westtor. Beide datieren aus dem 12. Jahrhundert. 1851 wurde die Marienkirche angeblich nach den Entwürfen des Kuraten, Reverend J.M. Rawlings, restauriert. Die vierte Kirche auf der rechten Seite ist die *Peterskirche von Hurstbourne Tarrant*, die verschiedenen Stilelemente inkorporiert: ein

Die Peterskirche in Linkenholt

Blick von Vernham Dean nach Wiltshire

sehr schönes normannisches Südtor, Gänge aus dem 13., und im Westteil einen Erker aus dem 14. Jahrhundert. Der Turm wurde 1897 durch eine neue Spitze, teils aus alten Balken, erhöht. Auf der Nordmauer ist eine große Wandmalerei, möglicherweise aus dem 14.Jahrhundert, die die französische Legende von den den „Drei Lebenden und drei Toten" aus dem 13.Jahrhundert darstellt. In dieser Legende treffen drei jagende Könige auf drei Skelette, die sie an ihre Sterblichkeit erinnerten. Eine andere Wandmalerei stellt die Todsünden dar.

Das offene Land in der linken oberen Ecke stellt den Blick von Hampshire zum Iron Age Hill Fort Fosbury Camp dar. Das *Dean Cottage* ist gerade noch sichtbar, und ein *Heißluftballon* segelt in den Sonnenuntergang. Der *Cricketspieler* trägt die Farben des Linkenholt Cricket Club, dessen pittoreskes Spielfeld gegenüber der Kirche liegt.

Rechts von der Kirche von Vernham Dean befindet sich das *Herrenhaus*, ein Gebäude im Tudor-Stil, das um eine E-förmige Holzstruktur errichtet wurde. In den 1960ern wurden weitreichende äußerliche Veränderungen vorgenommen; in den 90ern wurde erneut renoviert. Zwischen dem

Herrenhof und der Kirche rechts ist der *Marktplatz* von Hurstbourne Tarrant.

Das *Haus* auf der linken Seite war früher das Dorfgeschäft und zugleich die Post; heute ist es ein Privathaus. Das stattliche Haus auf der anderen Straßenseite ist *Four Winds Cottage*.

In diesem Teil des Valley können die Winter sehr streng sein, und im unteren Teil finden wir auch Winterszenen. Das *große Haus* in der Ecke ist das „Always" aus Ziegel und Feuerstein in der Back Lane von Vernham Dean. Es wurde im 17. Jahrhundert gebaut. Der heutige Besitzer sagt, daß der Dorf-Fuhrmann hier gelebt habe, und daß es im Garten noch Reste der Stallung gibt. Wahrscheinlich diente es auch einmal als Kneipe. Rechts ist das *George Inn*. Ein Kaufvertrag von 1847 führt neben anderen Dingen folgendes auf: „strohgedeckter Stall für sieben Pferde mit angrenzenden Schweineställen, ein Kornspeicher aus Feuerstein und Stroh ... rietgedeckte Scheune ... eine Kegelbahn."

Gegenüber vom „George" ist der *Dorfbrunnen*, ein Pumpbrunnen mit Trinkwasser, der noch funktioniert. Er ist ein schönes Beispiel für die viktorianische Eisengießerkunst.

Hurstbourne Tarrant

Das Wasser strömt aus einem Löwenkopf. Durch die Eiszapfen sieht man das rietgedeckte *Beeches Farmhaus*. Die Holzkonstruktion aus dem 18. Jahrhundert ist heute unter Putz versteckt. In der Küche befindet sich ein großer Steinofen zum Brotbacken. Einst diente das Haus als Operationssaal für einen Doktor, der die chirurgischen Eingriffe auf dem Küchentisch vornam.

Das Gebäude rechts der Eiszapfen war das *Postgeschäft* von Upton. Als die Tafel entworfen wurde, war es noch in Gebrauch; mittlerweile wird das Haus jedoch privat genutzt. Das Pferd davor heißt *Bearcone* und kommt aus einem örtlichen Stall. Bearcone hatte eine Leidenschaft für Pfefferminzbonbons und blieb immer hoffnungsvoll vor dem Geschäft stehen. In der unteren Ecke sehen wir das *Murrle Cottage* und den angeschwollenen Fluß *Swift* im Frühling.

Unterer Rand

Farne (wegen des alten Dorfnamens Fernham = Farnheim); *Schneeflocken, Igel, Schlüsselblume, Dachs und Moose, Immergrün, Fasan, Hundsrose, Hase, Schwarzbeeren, Distel,* mit den Namen der fünf Dörfer.

Der Swift bei Upton

Tangley
Hatherden
Wildhern
Die Appleshaws
Penton

TANGLEY, HATHERDEN, WILDHERN, DIE APPLESHAWS und PENTON

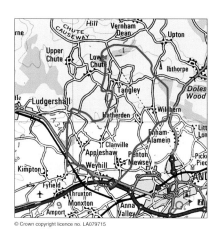

© Crown copyright licence no. LA079715

TANGLEY, HATHERDEN, WILDHERN

Die Gemeinde Tangley, zu der auch die Dörfer Hatherden und Wildhern gehören, liegt in der nordwestlichen Ecke Hampshires. Der größte Teil der Gemeinde ist ein Gebiet, das offiziell als „Areal außergewöhnlicher Naturschönheit" anerkannt ist. Mitten durch die Gemeinde führt der Icknield-Weg, eine Römerstraße von Winchester nach Cirencester.

Oberer Rand

Ein römischer Soldat; Wappen der Merceron-Familie, die den Titel Lord of the Manor trug; *ein alter Brunnen*, 185 Fuß tief, von dem erzählt wird, er sei 350 Jahre alt, und der noch heute von den Wasserwerken zur Pegelmessung benutzt wird; *das Wappen von James Samborne*, der die Schule von Hatherden stiftete; *Ein Farmarbeiter* mit Mistgabel.

Mittelteil

In der linken oberen Ecke ist die *Kirche des Hl. Thomas von Canterbury* in Tangley, die 1872 auf dem Gelände einer älteren Kirche gebaut wurde. Es wird heute angenommen, daß die Glocke 1522 gegossen wurde; das

Taufbecken aus dem 17. Jahrhundert ist das einzige aus Blei in ganz Hampshire. Der Turm und die Spitze wurden 1898 von F. Merceron gebaut, zum Andenken an Queen Victorias diamantenes Jubiläum. In der *Kutsche* auf dem Weg zur Kirche sitzen Herr Michael Colvin, Parlamentsmitglied aus Tangley House, und seine Tochter, die gerade heiratete, als die Tafel entworfen wurde. Unter der Kirche an der Kreuzung ist das *Kriegsdenkmal*.

Unten links ist die 1857 errichtete *Christuskirche von Hatherden*. Sie wurde 1975 vom Blitz getroffen und brannte aus. Innerhalb der alten Mauern wurde eine neue Kirche gebaut und 1977 vom Bischof von Winchester geweiht. In der Bildmitte ist das *Dorfhaus von Wildhern* von 1959 und das *Spielfeld*. Rechts des Hauses ist die *Methodistenkapelle*, die 1880, ein älteres Gebäude ersetzend, aus Feuerstein und im Ort hergestellten Ziegeln gebaut wurde. Das weiße Gebäude links ist das *Hatherden*

Das Schulwappen von Hatherden

Cottage und, halb versteckt zur linken, *Oak Cottage*, das Haus von Mrs Griffin, die die Tafel entwarf. Seine Fernsehantenne ist die einzige auf dem Teppich von Test Valley. Zwischen dem Dorfhaus und der Kirche ist die *Schule der Church of England*, die 1725 von James Samborne für 24 arme Kinder gegründet wurde. Links des Gebäudes befindet sich ein viktorianischer Anbau und, gerade noch sichtbar, ein modernes Klassenzimmer. Ein Einkommen von der Samborne-Stiftung kommt der Schule und ehemaligen Schülern heute noch zugute. Die *Schülerlotsin* („Lollipop Lady") Sheila Webb hilft Kindern sicher über die Straße. Andere Häuser auf der Tafel sind typisch für verschiedene Bauformen in den Orten. Die *rote Telefonzelle* ist mittlerweile durch eine moderne ersetzt worden; das *niedrige Gebäude* hinter der *Rotbuche* steht für Hühnerzucht. In der unteren linken Ecke ist *Maurice Hancocks mit friesischen Kühen.*

Unterer Rand

Spechte verursachen bedeutenden Schaden an den Schindeln des Kirchturms von Tangley; es gibt mindestens zwei *Dachsbauten*; *Rotwild*; eine *Henne*, die für die Geflügelindustrie steht; *Trauben* – es gibt zwei örtliche Winzer.

DIE APPLESHAWS

Der Name Appleshaw wird vom altenglischen "scarga" abgeleitet, was ein kleines Waldstück bezeichnet. Zu Appleshaw gehört auch das Dörfchen Ragged Appleshaw, wobei das "Ragged" (zerfranst) wahrscheinlich von "Roe Gate" (Reh-Tor) kommt, dem Eingang zum königlichen Rehwald von Chute. Im Norden grenzt die Gemeinde an Wiltshire.

Oberer Rand

Die *Schafe und die Hirtenstäbe* erinnern an den jährlichen Markt, der früher dreimal im Jahr abgehalten wurde: im Mai, um Schweine zu verkaufen, und im Oktober und November hauptsächlich für Schafe. 1801 wurden auf der Messe 15.000 Schafe verkauft. Die ortsansässigen Bauern machten Gewinn mit dem Anbau von Rüben für die Hirten und Käufer.

Mittelteil

In der oberen rechten Ecke ist die *Kirche St.Peter-in-the-Wood*, die 1836 gebaut wurde. In der Mitte der Tafel befindet sich das *Walnut Tree Inn*, das nach den Walnußbäumen genannt ist, die seit langem als typisch für die Stadt gelten. Um die Krönung der Queen zu

Der Uhrmacher von Appleshaw bei der Arbeit

Die Kirche St.Peter-in-the-Wood, Appleshaw

Die Uhr in Appleshaw

Lucinda Green

würdigen, wurden 1953 fünfzehn weitere gepflanzt. Links des Gasthauses ist das *Dorfgeschäft und die Post*. Um die Ecke, hinter dem rietgedeckten Haus rechts mit dem Erkerfenster, liegt *Forge Cottage*, ehemals die Schmiede. Auf dem Spielfeld wird gerade ein *Cricket-Match* ausgetragen. Die bärtige Gestalt mit dem Schläger ist *Dr. W.G. Grace*, der mindestens zweimal hier gespielt hat. Am 15. Juli 1870 spielte er für Danebury gegen West Hants. Er nahm elf Wickets in den zwei Innings, punktete aber nur 0 bzw. 14. Eine „sechs" flog jedoch über die Ragged Appleshaw Road in Farmer Baileys Feld, wo ein Dornbusch gepflanzt wurde, um den Punkt zu markieren (der heute überbaut ist).

Auf der anderen Seite ist *Lucinda Green*, geborene Prior-Palmer, die 1982 Weltmeisterin im Drei Tages-Military-Reiten war und hier wohnt. Sie reitet auf ihrem Pferd „Be Fair".

In der Ecke sind weiße *Beersheba-Narzissen* mit ihren langen, weißen Trompeten. Die Blumenzwiebeln wurden vom Revd G.H. Engleheart gezüchtet, der im späten 19. Jahrhundert hier lebte. Beershebas, die angeblich für etwa 1000 Pfund nach Holland verkauft wurden, finden sich noch immer in den Gärten des Dorfes.

Unterer Rand

Ein *Apfelbaum*, Symbol des Dorfes; ein vergrabener Schatz *römischer Zinngefäße* wurde 1897 von Revd Engleheart gefunden. Neben anderen Stücken umfaßt der Fund zehn große runde Teller; heute sind sie im British Museum; der *Hufschmied*; einer der *Walnußbäume*, die zur Krönung gepflanzt wurden.

PENTON

Penton ('Der Hof zur 1-Penny-Miete') hat wahrscheinlich sächsische Ursprünge und umfaßt die Zwillingsgemeinden Penton Mewsey und Penton Grafton. Mewsey und Grafton wurden erst nach der Eroberung hinzugefügt und leiten sich von Maisy und Grestain in der Normandie her.

Oberer Rand

Das *Wappen der Stonor-Familie*, der das Herrengut seit 1346 gehörte. Die *Sanctus-Glocke* mit der Inschrift 'Sic nomen Domini benedictum Ao Xi 1555'. Sie wurde 1845 bei Reparaturarbeiten in einer Wandnische gefunden, wo sie wahrscheinlich während der Religionsstreitigkeiten versteckt worden war; ein *hölzerner Spaten*, wie sie typischerweise in Penton für die Messe in Weyhill hergestellt werden; das *Wappen der Phillipa Roet*, die den Dichter Geoffrey Chaucer (1340-1400) heiratete. Ihre Enkelin erbte Land im Ort.

Mittelteil

In der linken oberen Ecke ist die *Dreifaltigkeitskirche*, die wohl in der Mitte des 14.Jahrhunderts von der Stonor-Familie

errichtet wurde, um eine ältere zu ersetzen, die im 'Domesday Survey' erwähnt wird und möglicherweise nach dem Schwarzen Tod verfallen war. Die sie umgebenden Bäume symbolisieren die vielen schönen Exemplare der Gegend. Der Ritter auf dem prächtig gerüsteten Roß ist *Sir Robert de Maisy*, ein Abkomme des Robert, der den Herzog von Hastings 1066 begleitete. Sir Robert hielt das Gut von 1233 bis 1295 für seinen Lehnsherrn, den Earl of Gloucester.

Der mittlere Teil zeigt die Dorfstraße, die in einer Sackgasse endet und so erfreulich ruhig und friedlich ist. Vor einem der Häuser steht ein *Traktor*, der das landwirtschaftliche Erbe des Dorfes symbolisiert. Links davon das Schild des Dorfpubs, des *White Hart*. Die erste Erwähnung eines "Bierhauses" in Penton steht in einem Gerichtsdokument von 1431.

Zur rechten ist eine *gußeiserne Handpumpe*, typisch für mehrere, die heute noch in den Gärten stehen. Zwischen der Pumpe und dem Kneipenschild liegt der *Dorfweiher*.

Unterer Rand

Zur linken ist die *kleine Brücke* über den Fluß, der aus Quellen unter dem Weiher

Narzissen am Weiher von Penton

genährt wird und bei Charlton in den Pilhill-Brook fließt. Rechts davon sind *Wildblumen* und *Weizen*.

Smannell
Knights Enham
Enham Alamein
Charlton

SMANNELL, KNIGHTS ENHAM, ENHAM ALAMEIN und CHARLTON

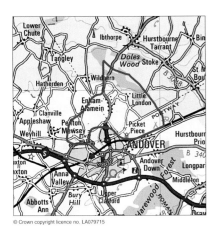

© Crown copyright licence no. LA079715

SMANNELL

Der Name Smannell bedeutet möglicherweise „Der Ort der Schweineherden"; eine Lichtung im Wald, auf der man die Schweine Bäume und Unterholz ausgraben ließ. In Smannell und dem nahen Woodhouse gibt es schon seit frühen Zeiten Siedlungen. Die Sachsen lebten dort, und vor ihnen bauten die Römer zwei ihrer Hauptstraßen durch das Gebiet, den Portway und den Harroway. Heute treffen fünf Straßen beim British Oak Inn in der Dorfmitte aufeinander.

Oberer Rand

Kegel, die das jährliche Dorffest und den Kegelwettbewerb um Schweine darstellen; vor dem Krieg im Finkley House, heute im Postgrove House abgehalten. Seit 1976 wurden die Gewinne des Kegelwettbewerbs in der Woodhouse Farm für wohltätige Zwecke verwendet; die *50-pence Münze* erinnert an Christopher Ironside vom Church Farm House, der Englands 1971 geprägte erste Münzen im Dezimalsystem entwarf; die *Dampfmaschine 'Lincoln Imp'*. Sie gehörte der Familie People, die ein im Jubilee House ansässiges Dreschzubehör-Geschäft betrieben. Die 'Imp' wird heute

von ihrem Besitzer Derek Marder bei Dampf-Rallies ausgestellt; das *Brot und der Schuber* verweisen auf die Brotbäckerei, die seit fast zwei Jahrhunderten in der Woodhouse-Bäckerei betrieben wird. Bis 1920 ein Koks-Ofen installiert wurde, diente Kleinholz als Brennmaterial; *Reiten für Behinderte*: Diese Gruppe aus Andover wurde 1972 auf der Woodhouse Farm mit Kindern der Icknield-Schule ins Leben gerufen; die *Hürde* steht für drei ortsansässige Geschäfte, die Hürden, Reisigbündel, Balken und ähnliches verkauften. Birkenzweige wurden zu Crosse and Blackwell gesandt, um Essig zu tönen; die Rinde gefällter Bäume wiederum ging an Gerbereien. In Little London gibt es noch ein Zaunbau-Geschäft.

Mittelteil

Die *Häuser* in der oberen linken Ecke gehören zu dem kleinen Dorf Little London, das 1665 von Flüchtlingen der großen Pest gegründet wurde. Die *Felder* gehören zur Woodhouse Farm, deren *Bauernhaus* (rechts) 1746 gebaut wurde. Die *rietgedeckten Holzscheunen* wurden im September 1940 durch deutsche Brandbomben zerstört. Das strohgedeckte Gebäude links ist die *Woodhouse Bakery*, die früher aus 3 Häusern bestand (um 1640) und Arbeitern Wohnung

Smannell

bot, die in den umliegenden Wäldern Kohle brannten. Der *rote Bäckerwagen* kann am Ende des Hauses gesehen werden. Die *Rinder* gehören zu einer Herde friesischer Kühe. Die *Sattelsteine* mit Blumen gehören zum Finkley Manor Farmhaus (1787), das auf der Portway-Römerstraße liegt. Finkley (abgeleitet vom altenglischen 'Finkenlichtung') taucht in mittelalterlichen Dokumenten als Jägerhütte im Königswald von Andover auf.

Das rotgeklinkerte Gebäude ist die *Schule*, die 1873 für £324,15,6 gebaut und mit 84 Schülern zwischen 3 und 13 Jahren eröffnet wurde. Heute ist es eine Grundschule der anglikanischen Kirche und dient Smannell und Enham. Zwischen der Schule und der Kirche ist ein typischer *Briefkasten*. Die *Christuskirche von Smannell* mit ihren verzierten Ziegel- und Feuersteinwänden wurde von dem Architekten W. White entworfen, der auch die Kirche in Hatherden gebaut hat. Beide Kirchen wurden am selben Tag im November 1857 vom Bischof von Winchester geweiht, Smannell um 10.30 Uhr und Hatherden um 14.30 Uhr. 1890 stiftete die Familie Earle aus Enham Place eine schöne Orgel und ein Wandgemälde. Die originalen Kirchenbänke wurden kürzlich, vom Holzwurm zerfressen, durch

Eichenbänke aus den Enham Alamein Werkstätten ersetzt. Die *Mutter mit Kinderwagen* neben dem *Reiter* in der unteren Ecke steht für das Drogen-Entzugszentrum im nahen Ashley Copse. Ein neues Mutter-und-Kind Zentrum wurde dort 1988 von der Prinzessin von Wales eröffnet, was auch den *roten Hubschrauber* aus der Flotte der Königin erklärt, der oben im Bild zu sehen ist.

Unterer Rand

Tiere und Pflanzen der Landschaft; *Schlüsselblumen* und *Hase*; *Schwarzbeeren*; *Fasan*; ein *Eichenast*, der das Dorfgasthaus, die 'British Oak' symbolisiert.

Little London

KNIGHTS ENHAM, ENHAM ALAMEIN

White Cottage, Enham Alamein

Kerzengießerei

Der Präfix 'Knights' (Ritter) im Namen stammt aus dem 13.Jahrhundert als der Herrenhof im Besitz der 'Knights Hospitallers' war, besser bekannt als die Johannes-Ritter. 'Alamein' wurde nach dem Zweiten Weltkrieg hinzugefügt, als das ägyptische Volk 225.000 Pfund und drei schmiedeeiserne Tore für den Bau von Alamein Village überreichte, als Dank für die Befreiung von den Achsen-Mächten nach der Schlacht von Alamein im Oktober 1942, die den Alliierten dann die Übermacht bescherte.

Oberer Rand

Zwei Bücher symbolisieren Enhams Buchbinderei-Gewerbe; die *Insignia der Mittelmeerflotte 1942*, der *8.Army* (Desert Rats) und der *Western Desert Air Force*, die sich auch in den Bleiglasfenstern der Georgskirche von Alamein finden; ein *Korb voller Blumen* symbolisiert sowohl die Korbmachertradition in Enham als auch das Gartencenter.

Mittelteil

Das große Gebäude oben im Bild ist das *Enham Resource Centre*, in dem Behinderte

eingestuft werden. Es wurde 1990 vollendet und von der Schirmherrin, ihrer königlichen Hoheit der Herzogin von Gloucester, eröffnet. Der Komplex, der ausschließlich von freiwilligen Spendern finanziert wurde, ist die neueste Erwerbung des Enham Village Centre seit seiner Gründung kurz nach dem Ersten Weltkrieg. Die Geschichte des Village Centre begann 1916, als sich Sorge um die wachsende Zahl der verstümmelten Soldaten an der Westfront breit machte. Eine Gruppe von Leuten plante den Bau einer Reihe solcher Village Centres, wo diese Männer Erholung, Versorgung und Rehabilitation erfahren konnten, während sie sich an ein Leben mit ihrer Behinderung gewöhnten.

Im Oktober 1918 wurde Enham Place erworben, ein privates Gelände mit Häusern, Cottages, Gebäuden und etwa 415 Hektar Land. Genau ein Jahr später wurde das Enham Village Centre als erstes dieser Art (und, wie sich später herausstellte, als einziges) eröffnet und nahm die ersten fünfzig Patienten auf.

Ein medizinischer Block war vom Britischen Roten Kreuz gestiftet worden, und verschiedene Städte spendeten Werkstätten. In diesen lernten die Patienten Gärtnern,

Landbau, Försterei, Schnitzen, Hühnerzucht, Elektrik, Korbmacherei, Tischlerei, Schuhmacherei, Kochen und ländliche Holzarbeiten wie das Herstellen von Möbeln.

Nach drei Jahren hatten mehr als 1000 behinderte ehemalige Soldaten eine Ausbildung und medizinische Versorgung erhalten. 1926 wurde eine alte Hütte, das dörfliche Vergnügungszentrum, durch das Landale Wilson Institut ersetzt, das von Herrn und Frau D. Landale Wilson anläßlich ihrer silbernen Hochzeit gestiftet wurde.

Die Werkstätten in Enham spielten 1939 bis 1945 eine wichtige Rolle in Großbritanniens Kriegsanstrengungen; dazu gehörte auch der Bau von Segelflieger-Gerüsten. Auch heute blüht das Zentrum noch; die Wohnbedingungen sind verbessert worden, und der Produktionsrahmen hat sich erweitert. Heute schließt er auch eine Elektronik- und eine Möbelabteilung ein. Im neuen Resource Centre gibt es Räume zum Arbeiten, für Schulung und Beschäftigungstherapie, zusätzlich medizinische Versorgung und Pflege und natürlich Ehnhams Haupt-Workshop. Die *Zeder* vor dem Gebäude ist heute das Logo des Enham Trust.

Der Doppeldecker in der oberen Ecke symbolisiert die Verbindung zwischen dem Ersten Weltkrieg und der Herstellung von Flugzeugteilen im Zweiten. Links unter dem Resource Centre ist eine *Ulme*, eine von vielen, von denen heute leider die meisten fort sind. Das *White Cottage* aus dem 17.Jahrhundert beherbergt die Estate Office und ein Museum der Schlacht von Alamein. *Silberne Birken* trennen es von *St.Georg, der Kirche von Alamein*, die Rt. Rv. Colin James, der Bischof von Basingstoke, am Georgstag 1974 einweihte. Vorher stand dort eine kleine Privatkapelle des Enham Village Centre, die unter dem Namen Georgskapelle bekannt war. Die Alamein-Gedenkkapelle, die Besucher aus aller Welt anzieht, ist den Teilnehmern der Schlacht gewidmet. Unter der Ulme ist ein *Bushäuschen*, das ursprünglich ein Schäferhaus war, und Stein für Stein wieder aufgebaut wurde. Davor ist ein *Blumenstand*, der auf das Gartencenter verweist. Das Gebäude in der Mitte ist das *Landale Wilson Institut*. Rechts davon ist der *Supermarkt* und eine Filiale der *Post*. Die Behinderten werden durch eine *Dame im Rollstuhl mit Begleiter* symbolisiert; damit wird gleichzeitig der soziale Aspekt des Marktes betont. Vor der Landale Wilson Hall ist ein *Rosenbeet*, das zum Gedächtnis des Sanitätsoffiziers Dr.

MacCullum angepflanzt wurde.

Unter dem Rosengarten ist das *Bradbury Haus*. Früher 'White House' genannt und für die Gemeindeverwaltung genutzt bietet es heute acht Wohnzellen für Behinderte. Das Konservatorium ist abgerissen worden. In der unteren linken Ecke ist die *Michaelskirche von Knights Enham* aus dem 12.Jahrhundert; dargestellt mit erleuchteten Fenstern, die ihre Wärme und Offenheit anzeigen sollen. Das *Eichhörnchen* auf dem Baum steht für die ländliche Einbettung, davor sitzt ein *Igel*. Die *großen Tore* in der unteren Ecke sind eines der drei Paare, die die ägyptische Regierung schenkte. Um die Tore findet sich die reiche *Flora und Fauna* mit Gänseblümchen, Schlüsselblumen, Blaumeise, Schmetterling und Schnecke. Die *Mohnblume* steht für die Kriegsgefallenen. Die große *Kerze* aus den Werkstätten ist jetzt ins Guinness Buch der Rekorde eingetragen. Sie war 33,36m hoch und wurde bei der Andover Show 1989 ausgestellt.

Unterer Rand

Fuchs, Dachs in ihrem Bau; *Farne, Blätter, Rotkehlchen, Marienkäfer, Schmetterlinge* und *Schafe*.

CHARLTON

Es gibt Hinweise auf eine sächsische Ansiedlung in Charlton, aber erst in den achtziger Jahren wurde es als von Andover unabhängige Gemeinde anerkannt. Das nahegelegene Foxcotte mit seiner Kapelle war dagegen schon vor der Eroberung ein blühendes Dorf. Über die Jahre kam es zu einer Abwanderungsbewegung von Foxcotte nach Charlton; möglicherweise von der Zeit des Schwarzen Todes an.

Oberer Rand

Artefakte und eine *Hütte*, die Charltons sächsisches Erbe symbolisieren. Bei Ausgrabungen bei der Old Down Farm wurden 1970 Hausreste, Waffen und Schmuck gefunden; der *Keulenkopf von Charlton*: diese Steinkeule datiert aus der Zeit von 5600 bis 1800 v.Chr., und wurde 1969 von A.F. Glover in seinem Garten in Foxcotte Close gefunden; die *Eiche* wurde 1897 zur Erinnerung an Queen Victorias diamantenes Jubiläum gepflanzt; die *Glocke* wurde im März 1908 der Thomaskirche von Charlton zu ihrer Weihung von Lady Susan Sutton aus Penton Lodge gestiftet; *Symbole für "Lebensunterhalt"*: Ein Hufeisen und Landwirtschaft, die Schule und ein Bäcker

Das Sportzentrum von Charlton

stehen für die Hopgood-Familie, die seit über 100 Jahren ein Geschäft hier betreiben.

Mittelteil

Links der Mitte im oberen Teil des Bildes ist die *Marchment Farm* mit weidenden Schafen, einem Pferd und einem Gebäude. Rechts des Hofes ist der *Foxcotte-Turm*. Miss Martha Gale riß 1853 das alte Gebäude der Foxcotte-Kapelle nieder (und folgte dabei dem Beispiel ihres Onkels Dr. Goddard, der die alte Marienkirche von Andover erneuert hatte), und ließ sie neu bauen. Als Foxcotte 1907 nur noch 33 Einwohner zählte, wurde beschlossen, die Kirche nach Charlton zu verlegen, aber eine große Opposition setzte schließlich durch, daß der Turm blieb, wo er war. In den frühen 70er Jahren wurde sie um ein Kunst- und Handwerkszentrum erweitert und schließlich von einem Londoner Künstler gekauft, der sie als Galerie nutzte. Heute dient sie als Vorschule. Die *Häuser* rechts des Turms stehen für den Baustil der Gegend.

Der *See* symbolisiert das sehr beliebte Charlton Sport- und Freizeitzentrum, das 1976 auf einem Stück Freiland von 3075 Ar gebaut wurde. Neben dem Boot- und Angelteich, der Turnhalle und dem

Spielplatz, die man im Bild sieht, gibt es noch einen hervorragenden Allwetter Sportplatz und Hockey – und Fußballplätze. Links ist das blühende Dorfgeschäft und die Post, und über die Straße die *Thomaskirche*. Sie stand in Foxcotte bis Dr. Frederick Preston, Vikar von Andover 1902 bis 1910, die Verlegung nach Charlton anregte. Viele Leute hielten dies für gotteslästerlich und entweihend. Die Bausteine der abgetragenen Kirche wurden mit Wagen nach Charlton gebracht. Der Grundstein wurde am 3. März 1908 gelegt, und am 19. August desselben Jahres weihte der Bischof von Dorking die fertige Kirche.

Im unteren Bereich sticht das *Royal Oak Public House* hervor. Wahrscheinlich eröffnete es 1795 als Bierhaus unter dem Namen „The Three Cups". Vor dem Pub ist ein florierender Blumenstand, der 1989 eröffnet wurde. Die *rietgedeckten Häuser* im unteren Bildteil, gegenüber von Carters Weide, sind das Bluebell Cottage links und Snowdrop Cottage rechts. Einst dienten sie als Kneipe mit dem Namen „The Buck and Dog".

Unter der ausladenden Roßkastanie und den Narzissen-Beeten sind Wasserkresse-Kulturen, die noch kommerziell genutzt

wurden, als das Bild entstand, aber 1993 geschlossen wurden. Heute ist dort ein Angelgebiet.

Unterer Rand

Vögel und Fische der Charlton-Seen – *Kanadische Gänse, Moorhühner, Mauersegler, Schwalben; Forelle, Döbel* und *Silberbrasse*.

Die Charlton-Seen

Andover

ANDOVER

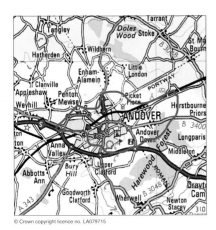

Andover ist mit 34.000 Einwohnern die größte Stadt im Test Valley Kreis. Die nördliche Grenze liegt etwa 18 Meilen von Romsey und beinahe 25 Meilen von der südlichen Grenze entfernt.

Die Gemeinde Andover schließt auch Knights Enham und Enham Alamein ein. Diese beiden Orte sind jedoch auf einer anderen Tafel zusammen mit Charlton und Smannell dargestellt. Die Grenzlinie bedeutet also nur den Bereich, der die Tafeln trennt, nicht aber eine Gemeindegrenze.

Andover entstand um eine Furt durch den Anton, ein Zufluß des Test, und bot sich den Reisenden auf dem Harroway, einem prähistorischen Pfad, und dem Portway, der ost-westlichen Römerstraße, als natürlicher Rastplatz an. Kleine Gruppen siedelten sich an; aber aus dieser vorsächsischen Zeit ist nur der Name geblieben, der von „Anna-dwfr" oder „Andefera" – „Fluß der Eschen" kommt.

Als das Königreich Wessex entstand, errichteten die Könige ihre Jagdhütten in der Nachbarschaft, nahe der exzellenten Jagdwälder; Händler kamen, und die Grundlage für eine blühende Stadt war gelegt. Sie wurde 1178 eine Gemeinde mit Freibrief, als Heinrich II ihr das Recht einer Händlergilde zugestand. In den Tagen der Postkutsche war Andover ein wichtiger Halt auf der Route London-Exeter, mit mehreren Gasthäusern, die den Verkehr bedienten, und wurde auch „Das Tor zum Westen" genannt.

1961 veränderte sich das Leben der stillen und provinziellen Marktstadt dramatisch, als nämlich das Andover Borough Council mit dem Greater London Council und der Kreisverwaltung Hampshire übereinkam, Industrie und Menschen in Hampshire anzusiedeln. Bauprojekte wurden durchgeführt, um den hinzuziehenden Menschen Wohnungen zu schaffen, Industriegebiete wurden geplant, und Schulen, Geschäfte, Straßen und anderes folgte. Durch die Verwaltungsreform von 1974 wurde Andover dann mit Romsey und Stockbridge ein Teil des Test Valley District Council.

Oberer Rand

Die *alte normannische Kirche*, 1841 von Dr. Goddard zerstört. Sie ersetzte eine sächsische Kirche, die in dem Großfeuer von 1141 niedergebrannt war, und war angeblich die größte und schönste ihrer Art in England – ein geräumiges Gebäude, das mehr Platz einnahm als die heutige Kirche. Der Turm hatte eine 26m hohe, bleigedeckte Holzspitze, die jedoch in einem Sturm am 11. August 1705 herabstürzte. 1840 wurde die Kirche durch Gaslampen beleuchtet und hatte eine 2000-köpfige Gemeinde. Aber die viktorianische Passion fürs Kirchenbauen führte trotz des Widerstands vieler Bürger, die ihre alte Kirche liebten, zu ihrer Zerstörung. Als besonders unpassend wurde die Art empfunden, wie ihre Teile entsorgt wurden: Der Altar zum Beispiel ging an das Angel Inn. Ein Heimathistoriker bezeichnete die Zerstörung als „einen Akt schrecklichen Vandalismus'"; die *Konfirmation des Olaf Tryggvason* 994 durch den Bischof von Winchester in Andover. Im Jahr zuvor war unter der Führung des norwegischen Prinzen Olaf und des dänischen Königs Swegen eine Wikingerarmee mit 94 Schiffen in England eingefallen und hatte – vergeblich – versucht, London zu erobern. Nach „Brandschatzung,

Die Marienkirche, Andover

Plündern und Morden" entlang der Südküste trafen die Wikinger sich bei Southampton, um dort den Winter zu verbringen.

König Ethelred und sein Rat verhandelten mit den Invasoren und versorgten sie mit Nahrungsmitteln und 16.000 Pfund Silber und erhielten dafür die Zusage, daß die Plünderungen aufhören sollten. Der König sandte Alfege, den Bischof von Winchester, von seiner Jagdhütte bei Andover zu Olaf, um ihn „mit großer Zeremonie" nach Andover zu geleiten. Olaf, der zuvor von einem Einsiedler auf den Scilly-Inseln bekehrt worden war, wurde nun von dem Bischof auf dem Platz der Marienkirche konfirmiert. Ethelred gab Olaf Geschenke, an die er die Bedingung knüpfte, daß Olaf nie wieder nach Britannien kommen dürfe. Olaf hielt sein Versprechen, kehrte 995 nach Norwegen zurück und bekehrte sein neues Königreich zum Christentum.

Ein *Schäfer und Schafe* symbolisieren die Schafsmesse in Andover, die nicht so groß war wie die im nahen Weyhill, aber dennoch lokale Bedeutung hatte; *Bogenschießen im Common Acre*, wo die Männer sich auf Agincourt vorbereiteten. Nach Agincourt 1542 führte Heinrich VIII eine Art Wehrdienst ein, der die Männer zu

Bogenschießübungen verpflichtete; *Oliver Twist*, wie er im Armenhaus von Andover um mehr bittet. Diese Szene verweist auf den großen „Andover-Skandal" von 1846, als ein parlamentarisches Komitee die Leitung des Armenhauses unter dem ehemaligen Sergeanten Major McDougal und seiner Frau untersuchte. Das Armenhaus in der Junction Road war 1836 gebaut worden, und McDougal, der bei Waterloo gekämpft hatte, und seine Frau wurden als Leiter bestimmt. Die Aufsichtsbehörde beschäftigte die Insassen mit Knochenmahlen für die Düngerproduktion. Die McDougals waren unehrlich und grausam und gaben ihren Schützlingen so wenig zu essen, daß sie das Mark aus den Knochen saugen mußten. Ein junger Reporter aus London namens Charles Dickens hatte für seine Zeitung über ähnliche Geschichten berichtet und kam so auf den Plot von „Oliver Twist"; der *normannische Bogen*, der einst das Westtor der alten Kirche war, wurde abgetragen und an anderer Stelle auf der High Street wiederaufgebaut. Er ist jetzt als „Normannisches Tor" bekannt; ein *Ochse* steht für die alten Viehmärkte.

Brauereipferde bei Town Mills

Mittelteil

Die Gebäude in der Mitte der Tafel sind die *Town Mills*, die Stadtmühlen. Zur Domesday-Zeit gab es sechs Mühlen in Andover. Eine davon, die Town Mill in der Mitte des Komplex, überbrückt noch heute den Fluß und dient als Kneipe und Restaurant. Das Hauptgebäude in der Tafel ist die *Guildhall*. Am Nordende des Markts an der High Street hat es seit Jahrhunderten eine Guildhall für die Treffen der Ratsherren gegeben. Ein solches Gebäude stand dort von 1583 bis 1724, ein Nachfolgegebäude von 1725 bis 1825. Die heutige Guildhall wurde 1825/26 nach Plänen von John Harris gebaut und kostete etwa 9000 Pfund. Die Möblierung kam auf weitere 600 Pfund, und am 6. Juni 1826 bezog der Rat seine neuen Räume. Die Guildhall hat zwei Stockwerke; der untere ist offen mit Bögengängen, die als überdachter Markt genutzt werden.

Früher hatte das Gebäude einen Uhrenturm, aber der wurde 1904 entfernt. Es gab drei Fahnenstangen, eine für Großbritannien, eine für den Lord Lieutenant, und eine für den Kreis. Die *Gaslampenstange* im Vorhof wurde zum Gedenken an Queen Victorias diamantenes Regierungsjubiläum errichtet. Nachdem sie später in den Ratsgarten

verlegt worden war, wurde sie 1977 zum silbernen Jubiläum der Queen wieder an ihrem alten Platz aufgestellt. 1981 wurde die Guildhall renoviert.

Im rechten Teil ist die *St. Marienkirche*, wie man sie von der Marlborough Street aus sieht. Die Kirche wurde von Dr. William Stanley Goddard gebaut, dem Direktor des Winchester College von 1793 bis 1809. Er heiratete eine Erbin aus Andover, Henrietta Gale. 1835 beschlossen der Vikar, Rev. Charles Ridding, und Dr. Goddard, daß die Kirche zu klein für „diese angenehme kleine Stadt" sei und der Turm möglicherweise einsturzgefährdet. Nach dem Tod Henriettens 1830 nutzte Dr. Goddard den ererbten Reichtum für wohltätige Zwecke und erklärte sich bereit, der „anonyme" Wohltäter einer neuen Kirche zu sein. Ein junger Architekt namens Augustus Livesay zeichnete die Pläne, die er in viktorianischer Gotik an die Kathedrale von Salisbury anlehnte. Die geschätzten Kosten beliefen sich auf 9437 Pfund. Die Steine kamen aus Caen und wurden 1841 durch den Andover-Kanal geschifft. Die Arbeit lief gut, bis 1842 das Dach einstürzte und einen Arbeiter tötete. Zwei Tage später fiel auch die Lichtgaden-Mauer ein. Viele Andoveraner, die den Verlust der alten Kirche bedauerten,

Town Mills – die Stadtmühlen

Das ehemalige St. John-Armenhaus

Die Guildhall in Andover zur Weihnachtszeit

Andover am Markttag

sahen in diesen Vorkomnissen ein Zeichen für Gottes Mißbilligung.

Der erste Gottesdienst in der neuen Marienkirche wurde am Sonntag, dem 11. August 1844 gefeiert. Der Abriß der alten Kirche und die Fertigstellung des neuen Turmes dauerte bis 1846; bis dahin waren die Kosten auf über 20.000 Pfund gestiegen, mehr als das Doppelte des Voranschlags. Leider erlebte Dr. Goddard die Fertigstellung seiner Kirche nicht mehr. Er starb am 10. Oktober 1845. Sir Nicholas Pevsner beschrieb die Kirche als ein „sehr bemerkenswertes Gebäude" nach einem „außerordentlichen und brillanten Entwurf."

Das große Gebäude rechts unter der Kirche ist *Keens House* im Hof des alten Hauptquartiers der TSB Trust Company, die 1973 von London nach Andover zog. Mit 1500 Beschäftigten ist sie Andovers größter Arbeitgeber und unterstützt die Stadt auf vielerlei Art. Die TSB Trust Company, die später in TSB Bank plc umbenannt wurde, bezog 1986 neue Büros am Charlton Place.

Das große Gebäude in der linken unteren Ecke ist das *Savoy Chambers* in der London Street, das praktisch ganz erneuert wurde. Im 18. Jahrhundert als Star and Garter Inn

bekannt, wurde es 1770 von der unternehmungslustigen Familie Heath erworben, die ein Brauerei- und Bankzentrum daraus machte. 1861 wurde es an Dr. Jabez Elliott verkauft, einen Chirurgen, der es in Elliott House umbenannte. 1934 wurde es zum Savoy Chambers und bietet heute verschiedenen Firmen Büroräume. Die Häuser daneben stehen oben an der *Chantry Street*.

Unten in der Mitte ist das sogenannte *Round House*, eines der zwei Zollhäuser von Andover. Eines stand an der Kreuzung der Salisbury Road und Weyhill Road; das andere an der Tavern-Kreuzung, wo die Gebühr für die Mautstraßen kassiert wurde. Rechts vom Round House ist das *St. John's Hospital*, ein ehemaliges Armenhaus, das 1836 gebaut wurde und noch als Altenheim diente, als die Andover-Tafel gestickt wurde. Heute gehört das Gebäude zum Cricklade College und beherbergt Klassen- und Lehrerzimmer. Das langgestreckte Gebäude in der unteren Ecke ist das *War Memorial Hospital* (Kriegs-Gedächtnis Krankenhaus) in der Charlton Road. Nach dem Ersten Weltkrieg wurde 1918 ein neues Krankenhaus geplant, und ein Komitee unter Dr. E.A. Farr, medizinischer Beauftragter von Andover, damit beauftragt, die geschätzten Kosten von 16.000 Pfund zu beschaffen. Der erste städtische Karneval 1924 brachte 1300 Pfund in die Kassen, und bald war der gesamte Betrag aufgebracht – in den Zwanzigern eine beträchtliche Summe.

Die Arbeiten begannen 1925. Das War Memorial Hospital wurde am 30. Juni 1926 vom Feldmarschall Viscount Allenby eröffnet. Der erste Name im Gästebuch ist der ihrer königlichen Hoheit Edward, des Prinzen von Wales, später König Edward VIII. Seinen Besuch in dem Krankenhaus verband er mit einer anderen Verpflichtung am Vortag, als er das Landale Wilson Institute im Enham Village Centre eröffnet hatte.

Unterer Rand

Wilde Hundsrose; Haubentaucher; Narzisse; Fuchs; Enten; Mohn; Dachs; Wilder Arum; Eule; Pilze, Igel; Zitronenfalter; Veilchen; Silbergrüner Bläuling; Viper oder Natter.

Blick nach Andover

Thruxton
Fyfield
Kimpton

THRUXTON, FYFIELD und KIMPTON

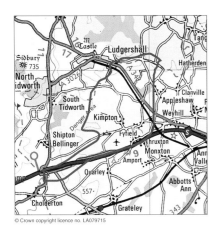

© Crown copyright licence no. LA079715

Diese drei Dörfer sind nur je etwa eine Meile voneinander entfernt und bilden ein Dreieck etwas nördlich der vielbefahrenen A303.

THRUXTON

Fünf Meilen (8km) von Andover gelegen war Thruxton wahrscheinlich eine der vier „Annes", die im Domesday Buch unter den Andover-Einhundert geführt werden. Im 12. Jh. war der Name Turkilleston; er veränderte sich aber über die Jahrhunderte zu Thruckleston (16. Jh.), Throxton (18. Jh.) und schließlich Thruxton (heute). Vom westlich gelegenen Flugfeld starteten im Zweiten Weltkrieg Segelflieger nach Arnheim. Heute ist Thruxton in England für seinen Motorsport bekannt. Im Gegensatz zur Rennstrecke kann das Dorf von der Hauptstraße aus kaum gesehen werden. 1985 wurde die Dorfmitte zum denkmalgeschützten Gebiet erklärt.

Oberer Rand

Rennwagen, der für die Rennstrecke steht, die im März 1968 auf einem Flugfeld eröffnet wurde und die Heimstrecke des British Automobile Racing Clubs ist; *Wappen der Lisle impailing Courtenay.* Sir John Lisle, der 1407 starb, ist im Kirchhof begraben. Seine

phantastische Rüstung, eines der schönsten Beispiele für die früheste Art des Kettenpanzers, trägt sein Banner und das seiner Frau Elizabeth. Seine Füße ruhen auf einem Löwen, und ein Teil der Rüstung wird im unteren Rand gezeigt; *Transportwagen* von Mr. E. Piper. Mr. Piper lebte im Flint House und war der Dorfkutscher mit Pferd und Wagen. Er transportierte Güter und Personen zwischen Thruxton, Andover und Salisbury. Hinter dem Wagen ist einer der *Busse* der Amport Busgesellschaft, die heute den öffentlichen Verkehr der Region bedient.

Mittelteil

In der linken oberen Ecke ist die *Gemeindekirche St.Peter und St.Paul*, hinter der School Lane und neben dem Gutshaus. Teile davon datieren aus dem 13. und 15. Jh., aber der größte Part wurde bei Restaurationsarbeiten im 19. Jh errichtet. Ihre Schätze sind die Gräber und Statuen einiger der Lords und Ladies des Manors; besonders zwei Sargdeckel aus dem 13.Jh., und eine Holzfigur der Gutsfrau Elizabeth Philpott, die 1616 beerdigt wurde. Leider ist sie beschädigt, aber ihre modischen Kleider sind herrlich geschnitzt. Nicht öffentlich zugänglich ist die älteste Glocke, die 1581 gestiftet und zur Warnung vor der kommenden Armada geläutet wurde.

Das erste Gutshaus wurde zerstört; heute gibt es keine Spur mehr davon. Das *heutige Manor*, das wahrscheinlich zu Anfang des 18. Jhs gebaut wurde, ist unterhalb der Kirche zu sehen. Vor dem Haus steht eine prächtige *Roßkastanie*. In der Mitte steht noch ein weiterer Baum, eine *Platane*, die der Rev. H.D. Baker zum Gedächtnis der Geburt seines Sohnes pflanzte. Zu ihren Füßen steht ein *Meilenstein*, der von der alten Mautstraße A303 ins Dorf gebracht wurde. Der Inschrift zufolge beträgt die Entfernung nach London LXVIIII (69) Meilen (110 km) – nicht wie gewöhnlich: LXIX – und nach Andover V (5) Meilen.

Von den rietgedeckten Mauern in der Mitte umgeben ist das vierfenstrige *Manor Cottage* aus dem 17. Jh. Das weiße Gebäude dahinter ist das *Pfarrhaus*, das 1837 vom Rev. Donald Baynes vollendet wurde. 1836 baute er außerdem eine Schule, und jeden Tag holten die Schuljungen an der Pumpe im Pfarrhaus Wasser für die Schule. Das Pfarrhaus war nebenbei auch das Heim von Dorothy Kerin, einer berühmten Wunderheilerin, die in den frühen 20er Jahren mit dem Rev. Langford James dort wohnte.

Das *blaue Cottage*, eine ehemalige Schusterei, in der ein gewisser Mr. Scrivens Töpfe und Pfannen verkaufte, wurde 1970 restauriert und ist seitdem eine Attraktivität. Daneben liegt *Bray Cottage*, früher die Dorfbäckerei und Geschäft. Die Familie Bray arbeitete bis 1969 als Bäcker in Thruxton und lieferten ihr ausgezeichnetes Brot in die ganze Gegend. 1985 wurde das Strohdach vom Feuer zerstört. Im oberen Teil der Tafel sieht man *Robins Roost* und *Forge Cottage*, die im 17. Jh. aus Kalk- und Feuerstein errichtet wurden. Robins Roost wurde in der Vergangenheit als Wäscherei genutzt, während das benachbarte Forge Cottage einst als Schul-Cottage bekannt war, bis Ernest Lansley, der Sohn des Schmieds, das Geschäft seines Vaters übernahm und ins Forge Cottage zog, wo seitdem Pferde beschlagen und Wagenräder eingefaßt wurden.

Unterer Rand

Die als Markenzeichen des Ortes berühmten *Schneeglöckchen* und *Schlüsselblumen*; der *Name Turkilleston*. Turkil war ein Sachse mit einer „Tun", dem sächsischen Wort für Hof und später Dorf. In der Mitte ist ein Teil der *Rüstung von Sir John Lisle* aus der Pfarrkirche.

Luftansicht des Flugfelds und der Rennbahn in Thruxton

Tourenwagenrennen auf der Rennbahn von Thruxton

FYFIELD

Die Gemeinde Fyfield, die auch Redenham mit einschließt, liegt ein paar Meilen westlich von Andover in der Nähe der Grenze zu Wiltshire. Einst bestand sie nur aus einer Ansammlung strohgedeckter Cottages mit drei großen Häusern, dem Herrenhaus, einem kleineren Gutshof und dem Pfarrhaus.

Oberer Rand

Teil des römischen Pflasters, der im 19.Jh. ausgegraben wurde und heute im British

Toby Baldings Rennplatz in Fyfield

Museum ist. Wie man sieht enthält es den Schriftzug der ortansässigen Familie Bodeni. Ausgegraben wurde es bei Lambourne's Hill, wo unter anderem 1830 auch eine römische Hypokauste und Töpferwerkstätten, 1850 noch vier Zimmer entdeckt wurden; *Wappen von William Maudit*, dem Herrn des Gutshauses ab 1086; *Rev. Henry White*, früherer Pfarrer von Fyfield, mit seiner Stimmpfeife. Sein Bruder, der gefeierte Naturforscher Gilbert White, schrieb seinem Freund Daines Barrington am 12. Februar 1771 aus Fyfield: „Mein musikalischer Freund (d.h. sein Bruder Henry), bei dem ich zu Besuch bin, hat an allen Eulen der näheren Nachbarschaft eine Stimmpfeife ausprobiert und herausgefunden, daß sie alle in b-moll rufen."; das *Tauziehen* über den Pillhill-Bach zwischen Teams aus Fyfill und Kimpton war ein Teil der Feierlichkeiten zum silbernen Jubiläum der Queen 1977.

Mittelteil

In der Mitte ist die *Schule der anglikanischen Kirche*, die von Kindern aus allen drei Dörfern besucht wird. Eine Tafel erinnert an die Eröffnung: „Eingeweiht von Faulkner Alison, Lord Bischof von Winchester, 21. September 1966. Ersetzt die anglikanischen

Schulen in Fyfield, Thruxton und Kimpton, die 1818, 1836 und 1872 gegründet wurden." Sie wurde für 70 Schüler gebaut, aber seitdem sind zwei zusätzliche Klassenräume hinzugefügt worden. Das *seilhüpfende Kind* vor der Schule ist Karen, die Enkelin von Mrs Kathleen Pennells, die diesen Teil stickte und Karens eigenes Haar für das Haar im Teppich verwendete. In der Nähe der Schule ist auch die *alte Schulglocke* der früheren Fyfield National School, die heute die Privatresidenz 'Bell Cottage' ist.

Oben sieht man den Ortsnamen auf einer *Flugzeugfahne*. Flugzeuge mit Werbetransparenten starteten oft auf dem Flugfeld von Thruxton und flogen übers Land. Links ist ein *Dorfbriefkasten* und ein *traditionelles rotes Telefonhäuschen*, das heute durch ein neues aus Glas und Stahl ersetzt ist.

Auf dem *Walnußbaum-Grün* rechts ist das *Dorfgeschäft* und ein repräsentatives *neues Haus*. Die wunderschönen Narzissen wurden 1983 mit öffentlichen Mitteln gekauft und von Kindern gepflanzt.

In der Welt des Pferderennens ist Fyfield bekannt als Heimat von G.B. (Toby) Balding, dem Rennpferd-Trainer mit zwei Grand National und vielen anderen Siegen. Die Rennpferde symbolisieren die Tiere, die man früh morgens durchs Dorf traben sehen kann. Baldings Grand National-Sieger waren 1969 Highland Wedding und 1989 Little Polvier. Das *Pub-Schild* wurde zur Erinnerung an seinen Sieg in *Highland Wedding* geändert. Die kleine *St.Nicholaskirche* liegt außer Sicht der Dorfstraße, in einer Gasse neben dem Herrenhaus. Sie stammt aus dem 13. Jh., wurde aber, wie so viele andere, von viktorianischen Enthusiasten 'restauriert'. Der Stimmpfeifer Rev. Henry White und seine Frau liegen auf dem Kirchhof begraben. Dort ist auch eine *Gedächtnis-Eiche* für den Brigadier Simpson.

Unten rechts ist *Littleton-Manor*. Einst war Littleton ein eigenes Dorf, und zur Domesday-Zeit sogar größer als Fyfield und Kimpton; aber heute sind nur das Manor und Forge Cottage geblieben, das Heim von Gillian Yarde-Leavett, einem der Designer der Tafel. Das andere Manor, Redenham, wird durch die *grüne Dorfpumpe* über der Kirche symbolisiert.

Unterer Rand

Rennpferd; ein *Fischreiher*; einige *Enten* und *Gänse* vor Littleton.

KIMPTON

Die Pfarrkirche von Kimpton

Kimpton, wo der Ursprung des Bächleins Pillhill ist, liegt sechs Meilen westlich von Andover und ist ein pittoreskes Dorf mit einer Reihe strohgedeckter Häuser und sogar einer strohgedeckten Bushaltestelle. Der Hauptteil von Kimpton ist um ein Grün versammelt, während am anderen Ende einst die Schule war, die abgerissen wurde, und wo heute die Dorfhalle steht. Das Dorf ist vor allem für seinen bronzezeitlichen Friedhof bekannt, der 1966 von dem ortsansässigen Archäologen Max Dacre bei Karlis Corner entdeckt wurde. Der Landwirt William Flambert kooperierte mit den vierjährigen Grabungsarbeiten, indem er sein Feld während dieser Zeit unkultiviert ließ. Die Archäologen fanden in Tonurnen Hinweise auf 108 Kremationen, die zwischen 3500 – 800 v.Chr. stattgefunden haben. Alle Funde sind heute im British Museum.

Oberer Rand

Die *andere Hälfte des Silberjubiläums-Tauziehens*, das schon auf der Fyfield-Tafel zu sehen war, mit dem Unterschied, daß das Seilende aus Kimpton um einen Baum geschlungen ist!; die *gekreuzten Schlüssel von St.Peter und St.Paul* symbolisieren die

Pfarrkirche; *Denkmal an der Nordmauer der Kirche für Robert Thornburgh*, der 1522 starb. Über seinem Grab, das halb unter der Mauer liegt, sind zwei Tafeln. Die eine ruft zum Gebet für die Seelen Roberts, seiner Frau und seiner Kinder auf. Darüber ist ein Messingrelief, das Robert in Rüstung zeigt, dann Messingschilder seiner ersten Frau mit zwei, und seiner zweiten Frau mit ihren sieben Kindern; *Urnen*, die für die Ausgrabungen in Karlis Corner stehen.

Mittelteil

Im oberen Teil ist ein *Stoppelfeld* der Poplar Farm nach der Ernte. In der Mitte liegt *Garden Cottage*, eines der strohgedeckten Häuser, die dem Dorf seinen Charme verleihen, und, oben, die *Welcome Stranger*-Kneipe, früher das New Inn. Links in der Mitte ist die *alte rietgedeckte Scheune*, heute ein Privathaus, und rechts, auf dem Grün, die *rietgedeckte Bushalte*. In der Nähe führt *Mrs. Gertie Coster* ihren Hund Dolly aus, eine bekannte Person, als der Teppich gestickt wurde, aber heute leider verstorben. Über ihr findet sich die alte *schmiedeeiserne Dorfpumpe*. Der *Fahnenmast* an der Kreuzung ist ebenfalls schmiedeeisern. Über dem Mast und der Bushaltestelle ist noch ein rietgedecktes Haus, *Kimpton Cottage*.

Die *St.Peter und St.Paul Pfarrkirche* liegt hinter dem Kimpton Manor und kann über einen Graspfad erreicht werden. Die heutige Kirche wurde in Abschnitten über eineinhalb Jahrhunderte gebaut, von 1220 bis 1370. Es gab Restaurationen, aber bis auf den Turm wurden keine großen strukturellen Veränderungen vorgenommen, so daß sie noch einheitlich und harmonisch ist. Der Originalturm war einsturzgefährdet und wurde von 1837 bis 1839 erneuert. Der Altar in der Shoddesden-Kapelle auf der Nordseite ist das dörfliche Kriegsdenkmal. Der kleine *Daphne-Baum* im Kirchhof wurde zum Gedächtnis an Daphne Norman, geb. Wise, gepflanzt, die 1982 im Alter von 23 Jahren starb. Die schöne *Rotbuche* steht am Eingang des Friedhofs.

Rechts von der Kirche ist *Kimpton Manor*, früher das Pfarrhaus. Vor einem Jahrhundert zog der Pfarrer in ein neues Haus, das etwas höher angelegt wurde, da er den Verdacht hatte, es könnte Probleme mit der Kanalisation geben. 1995 stellte sich dies als richtig heraus, als viele Leute nach dem schlimmsten Hochwasser seit langem ihre Abflüsse auspumpen lassen mußten. Interessant an dem Manor ist auch, daß die Übertragungsurkunden bestimmen, daß die wilden Bienen in der hinteren Mauer

erhalten werden müssen. Die *Trauerweide* neben dem Manor wurde von Mrs Joan Pool zum Gedenken an ihren Sohn Anthony gepflanzt, der 1969 beim Jagen getötet wurde. Leider fiel der Baum 1987 einem Sturm zum Opfer. In der rechten unteren Ecke steht eine *Roßkastanie* und eine *Kuh mit Kalb*, die beim Pillhill Brook grasen.

Unterer Rand

Kühe und Schafe der örtlichen Höfe, und die Familie *schwarzer Kätzchen*, die im Hof der Manor Farm lebten, als der Teppich geplant wurde.

Wildblumen am Pillhill Brook

Weyhill
Shipton Bellinger
Tidworth

WEYHILL, SHIPTON BELLINGER und TIDWORTH

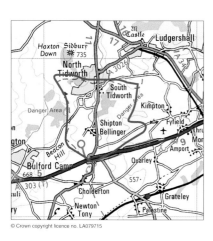

© Crown copyright licence no. LA079715

WEYHILL

Bis in die 1950er war Weyhill über neun Jahrhunderte lang Veranstaltungsort einer der gefeiertsten Messen Britanniens. Weyhill liegt an der Kreuzung zweier antiker Handelsstraßen, der von Cornwall nach Kent nämlich (The Harrow Way), auf der das Zinn aus Cornwall transportiert wurde, und der Straße von Holyhead nach Christchurch Bay, über die man das irische Gold brachte, um es zum europäischen Festland einzuschiffen.

Die Messe begann ursprünglich am St. Michaelstag und dauerte etwa eine Woche. Sie war berühmt für die riesigen Mengen von verkauften Schafen und Hopfen. In der besten Zeit wurden auch Pferde, Käse und Leder verkauft. Außerdem ließen sich hier Hausbedienstete und Knechte anwerben, bis die ganze Messe immer mehr den Charakter eines Jahrmarktes annahm. In Thomas Hardys Buch 'Der Bürgermeister von Casterbridge' wurde die Messe von Weyhill zu 'Weydon Priors', wo Henchard Frau und Kind für fünf Guineen verkaufte.

Nach dem Niedergang der Messe ist Weyhill heute ein ruhiger Ort fünf Kilometer von Andover, der von der Hauptstraße nach Westen umgangen wird.

Oberer Rand

Mit der Messe zusammenhängende Dinge: *Der Geist von Weyhill*: Die Tradition sagt, daß ein Hopfenbauer namens Leadbetter aus dem West Country mit dem Zimmer des Stallknechts vorliebnehmen mußte, als er spät im Star Inn ankam. Ein Geräusch auf der Treppe weckte ihn, und er sah eine lange, hagere Gestalt mit einer Kerze in der einen Hand und einem Schlachtermesser in der anderen auf sich zukommen. Die Gestalt schüttelte Leadbetter an den Schultern und führte ihm das Messer mehrmals über die Kehle. Dann stellte sie die Kerze ab und verschwand. Später in der Nacht kehrte der schreckliche Besucher zurück; diesmal war sein Messer blutverschmiert.

Aufs höchste verstört floh Leadbetter und erzählte dem Herbergsvater stammelnd seine Geschichte. Aber als der Stallknecht dazukam, klärte die Sache sich auf: die Erscheinung war ein Taubstummer, den der Knecht gebeten hatte, ihn um vier Uhr zu wecken und ihn zu erinnern, daß er ein Schwein schlachten sollte. Eine Ballade über den 'Weyhill Ghost' war sehr beliebt; *Schafsglocken* stehen für die Schafsmesse; das *Hörnen des Colts* war im Star und anderen Orten sehr beliebt. Ein Neuling auf der

Messe – der 'Colt' – wurde durch das Hörnen initiiert. Er mußte sich setzen und einen gehörnten Hut mit einer Tasse in der Mitte aufsetzen. Dann wurden verschiedene Strophen mit dem Refrain „Hörner, Jungs, Hörner; Hörner, Jungs, Hörner, und trinkt wie sein Vati mit einem großen Gehörn" gesungen, und die Tasse mit Ale gefüllt, das der Colt dann trinken und zusammen mit einer halben Gallone Ale für alle Anwesenden bezahlen mußte; *Hopfen und Käse*, die auf der Messe verkauft wurden.

Mittelteil

In der linken oberen Ecke ist die *Michaeliskirche*. Im Domesday-Buch wird eine Kirche in Weyhill erwähnt, aber der älteste Teil der heutigen Kirche, der Chorbogen, datiert aus dem späten 12. Jahrhundert. 1506 wurden zehn Eichen um 8s 4d für Dachreparaturen verkauft, und 1822 wurde das Blei auf dem Dach losgeschlagen (mehr als 3 Tonnen für £64) und durch walisische Schieferplatten ersetzt. In der Mitte des 19. Jahrhunderts wurde die Kirche größtenteils renoviert. Der Kreuzessockel im Kirchhof stammt aus dem 13. Jh., aber das Kreuz selbst wurde 1904 aus Jerusalem gebracht.

Wandmalerei im Weyhill Fair Inn

Detail – Schafsmesse und das alte Sun Inn

Die *Weyhill Lodge* rechts der Kirche wurde in Luxus-Apartments umgebaut. In der Ecke ist ein *Teil des Gartens und ein Kran* der AJ Dunning and Son (Weyhill) Ltd auf dem Messegelände. Die Baufirma wurde 1917 von Alfred James Dunning in Penton gegründet, und sein Sohn war von Anfang an Teilhaber. 1921 zog die Firma auf das Gelände des alten Schafsmarktes. Das Geschäft florierte und gewann einen beneidenswerten Ruf in verschiedenen Gebieten wie der Immobilienmakelei, dem Häuserbau, Ladeneinrichtungen, Gerüstbau und, örtlich begrenzt, im Bestattungsgewerbe und dem Landbau. 1936 wurde es zu einer Gesellschaft mit begrenzter Haftung. In der Nachkriegszeit spielten Dunnings in der Umgestaltung Andovers eine Rolle. 1989 wurde die Firma ein Opfer der Rezession und ging in Konkurs. Teile der Firma existieren heute unter einem neuen Namen in Weyhill.

Die *Häuser unterhalb der Kirche* sind u.a. Ratshäuser, Barretthäuser und ein Altenwohnheim. Das *rietgedeckte Haus* auf der anderen Straßenseite, ursprünglich zwei Cottages, ist heute ein Bauernhaus. Das springende *Pferd und der Reiter* in der Mitte erinnern an die Reitställe von Mrs Hartigen im Homestead, das heute ein Pflegeheim ist.

Früher gab es hier Pferderennen und Wettbewerbe. Die *Reihe von Cottages* unter dem Reiter gehören der Kirche und wurden einst für die Armen genutzt; werden heute aber vermietet. Über die Straße ist das *Ramridge Haus*, auf dessen Grundstück früher der größte Teil der Messe stattfand. Jahrelang nutzten Dunnings es als Möbellager, aber später wurde es verkauft und in Apartments aufgeteilt. Die *Kühe* in der rechten unteren Ecke stehen für die Viehhaltung. Gegenüber ist der *Dorfweiher* mit Schwan, einer Stockente, einem Wasser- und einem Teichhuhn. Der Schwan findet sich auch im Abzeichen der *Dorfschule* im unteren Teil des Bildes. Sie wurde 1855 als Nationalschule erbaut, und unter Direktorin Julia Hall aus öffentlichen Spenden und dem „Kinderpfennig" finanziert. Ihr einziges Zimmer war trotz der weißen Putzwände dunkel, aber 1897 wurde die Schule erweitert, so daß sie 80 Schüler aufnehmen konnte. Leider mußte sie 1988 wegen Kindermangels geschlossen werden.

Unterer Rand

Kätzchen, Schlüsselblumen, Rotkehlchen, Hagedorn, Haselnüsse, Schneeglöckchen, Pilz, Hirsch und *Fischreiher*.

St.Michaelkirche, Weyhill

SHIPTON BELLINGER

Die Bewohner von Shipton Bellinger trotzten ihren Lebensunterhalt über Jahrhunderte einem kargen Boden ab, der nur knapp 15 Zentimeter dick über dem Kalk liegt. Da es nur wenig urbares Land gibt, war Schafszucht die Haupterwerbs- quelle, und der Dorfname kommt vom sächsischen „Sceap Tun" – Schafhof. Die Gemeinde am östlichen Ende der Salisbury- Ebene ragt wie ein Hampshirer Finger nach Wiltshire hinein. Als die Armee nach Tidworth kam, begann das Dorf Schlafgelegenheiten für sie zu bauen. Heute ist es eine Mischung aus alt und neu.

Im Domesday-Buch heißt das Dorf Sceptone und Snodingstone. Bellinger wurde 1297 hinzugefügt, als Ingram Berenger Lord des Shipton-Manors wurde.

Oberer Rand

Die *drei mittelalterlichen Glocken der St.Peterskirche*, die wohl seit dem 16. Jahrhundert geläutet werden. Alle drei sind denkmal-geschützt. Die Sopranglocke trägt die Inschrift „Johannes Cristi care dignare pro nobis orare" (Johannes, Geliebter Christi, lasse dich herab für uns zu beten).

Auf der zweiten steht: „God be our Guyd RB 1600" (Gott sei unser Lenker). Die größte, die Tenorglocke, die mehr als 1 m Durchmesser hat und 450 kg wiegt, ist beschrieben mit „Sancte Nicolae ora pro nobis" (St.Nikolas bete für uns); die *Postkutsche*, die im frühen 19.Jahrhundert täglich von Marlborough nach Salisbury fuhr. Morgens war sie mit der Post um 6.30 Uhr am Boot Inn und kehrte um 18.30 Uhr zurück; der *Widder* ist das Dorfsymbol; das *Schild von The Boot*, dem Dorfgasthof.

Mittelteil

Oben fällt besonders die St.Peterskirche auf. Es gibt Hinweise, daß es im 10.Jh. eine Kirche im Dorf gab, aber wahrscheinlich ist nichts von ihr übrig. Die heutige Kirche aus Feuerstein mit einem hölzernen Turm wurde teilweise im 14.Jh. erbaut und 300 Jahre später renoviert. 1879 gab es eine Restaura- tion, die £1500 kostete. Den Kirchhof aber umgibt ein Geheimnis. Zeitgenössische Berichte enthüllen, daß die Gemeinde- vorsteher Gilbert und Rumsey „den Kirchhof an manchen Stellen bis zu vier oder fünf Fuß (1,20m – 1,50m) absenkten," auf eigene Kosten. Die Gemeindebücher zeigen jedoch, daß aus Kirchenmitteln Gelder für 71½ Arbeitstage ausgezahlt wurden. Das

Dorfschild wurde 1982 von der Gemeindeverwaltung errichtet, und zwar mit dem dem Berenger- Wappen hinzugefügten Datum. Als das Schild neu gestrichen wurde, ließ man das Datum aus. Die *Schafe* stehen für die alte Tradition der Schafszucht.

Das *rietgedeckte Haus* links ist Bramble Cottage in der High Street, das als das älteste Haus des Dorfes denkmalgeschützt ist. Darunter ist der efeubedeckte *Dorfbriefkasten*. Das Gebäude unten im Bild ist das *Manor Farm House*, das einzige der fünf Dorfbauernhäuser, das es heute noch gibt. Hinten ist das Haus alt, aber die Front ist viktorianisch. Der über das Dorf fliegende *Fasan* erinnert an die Jagden, die im Norden vom Officers' Shoot und im Süden der Gemeinde von der Snoddington Manor Estate praktiziert werden.

Unterer Rand

Igel; *violette Wicke* (Austragalus Damcus), in Südengland selten; *Kiebitz*; *Kurzohr-Eule* (in der Ebene zuhause); ein *Admiralsschmetterling*; *Schlüsselblumen*.

TIDWORTH

Die Garnisonskirche in Tidworth

*Bläser des 2.
Panzerregiments, Tidworth*

Als der Teppich von Test Valley geschaffen
wurde, lag die Garnisonsstadt Tidworth
genau auf der Grenze von Wiltshire, und die
County-Grenze teilte die Stadt so, daß nur
die südliche Hälfte in Hampshire lag. Die
Fassade mancher Häuser war in South
Tidworth (Hants), während die Rückseite zu
North Tidworth (Wilts) gehörte. Nach einer
Neuordnung der Gemeindegrenzen liegt
heute allerdings ganz Tidworth in Wiltshire.

Seit 1902 dient Tidworth und das
dazugehörige Land der Britischen Armee als
Trainingsgebiet. Damals wurden 16200
Hektar angekauft, darunter auch das
Tedworth-Anwesen, das einst Thomas
Assheton-Smith gehörte, einem gefeierten
Jäger. Tidworth House, 1828-30 erbaut, ist
heute ein Offiziersklub und gleichzeitig
Wohnheim für Pflegeschwestern.
Angrenzend ist ein Polo-Spielfeld, wo bis
1977 das berühmte Tidworth Tattoo
aufgeführt wurde.

Zur Domesday-Zeit schloß Tedorde – oder
Todeorde – North- und South-Tedworth
ein, beide mit etwa 30 Einwohnern und drei
einzelnen Manors.

Oberer Rand

Nonnenweg und *Nonnenmarkt*. 1164 gewährte
Heinrich II den Nonnen von Amesbury den
Zehnten von North- und South Tidworth,
und die Lizenz für einen Wochenmarkt. Die
Nonnen gingen zu Fuß nach Tidworth, so
daß ihr Weg bald als Nonnenweg bekannt
wurde; der *Trommlerjunge von Tedworth*: Im
März 1661 versuchte William Drury, ein
Trommler aus Tidworth, sich in Ludgershall
Geld zu erschwindeln, und benutzte dazu
„einen gefälschten Paß und
Geleitschreiben." Der Magistrat John
Mompesson konfiszierte seine Trommel, die
schließlich in Mompessons Haus in
Tedworth gebracht wurde. Bald rasselten
Geistertrommeln, laute Kratzgeräusche
wurden gehört und „es gab wilde Schläge
und vibrierende Bettgestelle." Diese
Vorkommnisse führten zu der ersten
verzeichneten Poltergeist-Untersuchung, als
nämlich König Charles II seinen Kaplan
Joseph Glanvil, einen Experten für
Hexenkunst, mit den Ermittlungen
beauftragte. Es gelang ihm nicht,
festzustellen, ob ein falsches Spiel gespielt
wurde; ein *berittener Soldat* steht für die
Kavallerieregimente in Tidworth; ein
moderner *Panzer* und *Hubschrauber*.

Mittelteil

Oben links ist der *Tower* (Turm) oder Observatorium, der von dem Junker Thomas Assheton-Smith erbaut wurde, so daß seine behinderte Tochter die Jagd verfolgen konnte. Aber er hatte auch einen potentiell anderen Nutzen: Der Junker brachte ein Faß mit Teer auf dem Dach an, das entzündet wurde, wenn Rebellen, die es auf die Landmaschinen abgesehen hatten, sich näherten. Rechts vom Turm ist die kleine *Begräbniskapelle* im Wald, die aus Resten der 1784 abgerissenen South Tedworth Kirche errichtet wurde. Bis 1880 die Hl.Jungfrau Maria-Kirche gebaut wurde, war die Kapelle das einzige Gebetshaus im Ort. Über die Jahre verfiel sie, wurde aber dank einer großzügigen Erbschaft wieder hergestellt, und wird heute für monatliche „Loblieder"-Gottesdienste und Taufen genutzt.

Im oberen Teil sticht das *Tedworth House* hervor, das 1828 auf dem Grundstück eines Abrißhauses begonnen, und 1830 vollendet wurde. Das kleine Haus an der Weggabelung ist das *White Lodge*, das am Eingang der Auffahrt zum großen Haus errichtet wurde und noch heute bewohnt ist. Das rote Ziegelhaus links von dem Lodge war eine *Schule der Church of England*, die 1857 von Frau Assheton-Smith gegründet wurde. Sie „kleidete 16 Schüler ein ...der Anblick der Mädchen in ihren roten Mänteln an einem Samstagnachmittag und der lauten Bengel, wie sie vor dem Haus turnten, genügte, das Herz zu erfreuen." 1903 wurde die Schule vergrößert, so daß sie 110 Schüler aufnehmen konnte, wurde aber 1985 trotz Bestrebungen, sie als Museum zu erhalten, abgerissen. Heute gibt es im Bezirk Tidworth sechs Schulen. Das *rote Haus* weiter die Straße hinauf steht für die Stationshäuser. Rechts davon, bei dem alten Lesesaal auf der Grenze zwischen Nord- und Süd-Tidworth, sind strohgedeckte Cottages. Der *Lesesaal* selbst ist daneben; davor sind einige der altmodischen *roten Telefonzellen*.

Das *fabrikähnliche Gebäude* in der Mitte ist das Royal Ordnance Depot, das Kleidung und Ausrüstung an Armee-Angestellte ausgibt. Vor dem Depot ist der *Royal British Legion Club*, der auf dem Gelände eines niedergebrannten Kinos errichtet wurde. Über die Straße ist eine *Autowerkstatt*, die zu einer modernen Tankstelle umgebaut wurde.

Unter der Werkstatt ist die *Pfarrkirche der Heiligen Dreifaltigkeit*. Dieses Gebäude aus dem 13. Jh. diente einst nur Nord-Tidworth, aber als die Kirche von Süd-Tidworth geschlossen wurde, wurde sie zur Pfarrkirche der ganzen Stadt. Heute ist sie Teil der United Benefice von Tidworth, Ludgershall und Faberstown. Unter dem British Legion Club sind *zwei Cottages* in der Pennings Road, die einzigen zwei aus einer Reihe, die noch stehen. Weiter die Straße hinunter, in der linken unteren Ecke, ist das *Ram Inn*, das dritte dieses Namens an diesem Ort. Gegenüber ist ein ehemaliger *Lebensmittelladen und eine Post*. Beide sind abgerissen worden, um Platz für eine Imbißstube und ein Restaurant zu machen.

Unterer Rand

Schmetterlinge; Dachs; Schafe; Hasen; Eichhörnchen; Eule; Fasan; Fuchs; Hagedorn und Schwarzbeerbüsche; Weizenfeld; die Jagd von Tedworth.

Monxton
Amport
Grateley

MONXTON, AMPORT und GRATELEY

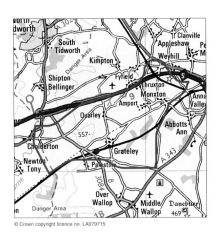

© Crown copyright licence no. LA079715

Die Dorfstraße von Monxton

MONXTON

Monxton mit seinen attraktiven, strohgedeckten Dächern ist ein langes, schmales Dorf, das sich entlang beider Ufer des Pillhill Brook erstreckt. Seine Nachbarn am Fluß sind im Westen Amport, und im Osten Abbotts Ann und Anna Valley.

Oberer Rand

Das *Wappen des King's College Cambridge*. Das Manor von Monxton gehörte zu dem Besitz, den Heinrich VI dem College überschrieb (ursprünglich hieß es Royal College of the Blessed Mary and St Nicholas), als er es 1441 gründete. In dem Urkundensaal des Colleges gibt es viele Dokumente, die „Monkestone" erwähnen; *Bec 1094* A.D. Nach der Eroberung von 1066 wurde das Manor an Hugh de Grandmesnil verliehen, einem normannischen Baron, der es dann an die Abtei von Bec-Hellouin in der Normandie weitergab. Die nächsten 300 Jahre gehörte „Anne de Bec", wie es genannt wurde, der Abtei. 1404 gab Heinrich IV es seinem Sohn John von Lancaster, dem Constable von England. Als John 1435 starb, ging es an Heinrich VI; *1920s*: Bis 1921 blieb das King's

College Besitzer des Manors von Monxton und vieler weiterer Besitzungen im Dorf. Dann veräußerte es alles in einer Auktion.

Mittelteil

Oben ist die St.Marienkirche. Sie wurde 1853-54 mit Ziegel und Kalkstein auf dem Gelände einer mittelalterlichen Kirche erneuert. Von dieser Kirche ist nur der Kanzelbogen aus dem 12.Jh. erhalten. Im Boden des Hauptschiffes ist eine Messingdarstellung einer knienden Dame in elisabethanischer Kleidung mit einem ebenfalls knienden Mann hinter ihr. Der Pfarrer von 1723 bis 1748 war Thomas Rothwell, der sich der Mathematik so ergeben hatte, daß er oft alleine in seiner Stube saß, ohne selbst seiner Familie Zutritt zu gewähren. Er beschäftigte sich „mit Zahlen und Algebra ... und begab sich in vielen seiner letzten Lebensjahre nicht aus dem Haus, nein, nicht einmal zur Kirche, sondern er hatte einen ständigen Vertreter ... und ließ sich keine Zeit zum rasieren, sondern ließ seinen Bart wachsen, bis er sonderbar anzusehen war ..." In der Nähe der Kirche *fliegen Tauben aus dem Taubenstall* rechts, auf dem Vorhof des Monxton Manors. Die *Reihe strohgedeckter Häuser* in der Dorfstraße ist wahrscheinlich aus dem

17.Jh. An ihrem Ende ist das *Black Swan Inn* (allgemein als das Mucky Duck = Schmutzige Ente bekannt), das mindestens seit dem 17.Jh. die Dorfkneipe ist. Die *alte Wasserpumpe* steht über einem der alten Dorfbrunnen in dem Vorgarten des Well Cottage. Das Haus mit den großen Fenstern auf der anderen Straßenseite ist *Hutchens Cottage*, ein ehemaliges Bauernhaus.

Die *Mauer mit dem eingelassenen Mühlstein* steht vor Monxton Mill. 1086 gab es hier eine Mühle, die damals 7s 6d wert war. Die Brücke ist am anderen Dorfende und führt über den Pillhill Brook, der aus Kimpton kommt, und durch Amport und Monxton fließt bevor er bei Upper Clatford in den Anton-Fluß mündet. Auf der Brücke sitzt eine *Elster*. In der Mitte sind außerdem *kanadische Gänse, ein Eisvogel, örtliche Pflanzen, Blätter* und *Blumen – Lilie, Fingerhut, große Binsen und Gallenkraut*.

Unterer Rand

Ente, Schwan, Wasseriris, Frosch, Libelle, Reiher.

Cottages in Monxton

Ein Strohdach wird gedeckt

Aussicht über den Pillhill Brook

*Bleiglas-Fenster in der
Kirche von Amport*

AMPORT

Amport ist ein unregelmäßig geformtes Dorf
im Tal des Pillhill Brook, sechs Kilometer
westlich von Andover. Im Domesday-Buch
trägt es den Namen Anna; wahrscheinlich ist
der Ursprung sächsisch („Esche") oder
vielleicht keltisch („Bach"). Als Wilhelm der
Eroberer das Manor an Hugh de Port gab,
änderte der Name sich in Anne de Port, was
später zu Amport wurde.

Oberer Rand

Das *Abzeichen des RAF Chaplain's Department*
(Armeepfarrer), im Amport House
untergebracht; *Teil des Wappens der
Sheppard/Routh Familie*. Dr. Thomas
Sheppard, dessen Vater der wohlhabende
Pfarrer von Basingstoke war, heiratete 1801
Sophia Routh, eine Tochter des Revd. Peter
Routh aus Beccles, eine Frau mit einem
ausgeprägten sozialen Bewußtsein. Von
seinem Vater erbte Thomas bedeutenden
Besitz in Amport, der nach seinem Tod an
Sophia ging. Thomas' Testament sah vor,
daß sie mindestens zwei Monate im Jahr in
Amport verbringen sollte; sie aber baute dort
ein Haus, blieb den Rest ihres langen Lebens
und verwandte ihren Reichtum für
wohltätige Zwecke. 1815 baute sie die Schule

und sechs Altersheime; *das Symbol der Paulets,*
die über Generationen wichtig im Dorf
waren. 1649 erwarb Lord Henry Powlett das
Manor von Amport. Sein Ur-Urenkel
Charles, der Amport House, das 1806
fertiggestellt wurde, erneuerte, änderte die
Schreibweise des Familiennamens von
Powlett zu Paulet, wie der Hauptzweig der
Familie es schon lange getan hatte. In seiner
Eigenschaft als 13. Marquis von Winchester
erweiterte er den Besitz auf über 800 Hektar;
*Motto des Altersheims 'for six poor widows AD
1815'* – 'für sechs arme Witwen'; ein anderer
Teil des Sheppard/Routh Wappens.

Mittelteil

Im oberen Teil sieht man *Amport House*, das
1857 vom 14. Marquis von Winchester über
dem Haus errichtet wurde, das sein Vater 50
Jahre früher gebaut hatte. Er riß die
Farmhäuser und Cottages ab, und ersetzte
sie durch weitläufige Küchengärten,
Gewächshäuser und Obstgärten. Für seine
Arbeiter baute er eine Viertelmeile weiter
neue Cottages, ebenso neue
Wirtschaftsgebäude. In der Zeit des 16.
Marquis (der 1962 hundertjährig starb),
stiegen König Edward VII und Lily Langtry
während der Stockbridge Rennen und zur
Rebhuhnjagd im Amport House ab. Der

Besitz ist denkmalgeschützt und hat einen von Gertrude Jeckyll entworfenen Garten. 1939 wurde er von der RAF requiriert, und schließlich vom Luftfahrtministerium gekauft und in die RAF Kaplansschule umgewandelt. Links ist das *Cricketfeld*.

Rechts des Hauses ist die 1320-30 erbaute *Pfarrkirche St.Mary*. 1866 wurde sie renoviert, mit einem erneuerten nördlichen Querschiff, neuen Nord- und Südfenstern, Portal und Sakristei.

In der Mitte führen *für Amport typische Cottages* zur *Schule* hin, die dem Dorf bereits seit über 180 Jahren dient. Die Szene, in der Schüler aus Amport um den *Maibaum* tanzen, ist eine der schönsten auf dem ganzen Teppich. Auf der Wiese findet jedes Jahr am 12. Mai ein Schulball statt, dessen Tradition von Mrs Sheppard begonnen wurde. Sie ließ einen Maibaum in ihrem Garten aufstellen lud alle Schulkinder ein, darum herum zu tanzen, und gab jedem einen Penny und ein Rosinenbrötchen. Bis heute wird das Fest am alten Maifeiertag begangen, am 12. anstatt am 1.Mai. Neben der *roten Telefonzelle* gegenüber der Schule ist die allseits bekannte *Mrs Mac mit ihrem Hund* zu sehen.

Unten rechts ist das *Fenster der Schule von Grateley*, das nicht mehr in die Tafel von Grateley paßte. Diese Überschneidung ist ein schönes Beispiel für die Kooperation der Designer und Stickerinnen der beiden Tafeln. Die *Flora und Fauna* um die Wiese sind typisch für das Dorf. Im Frühjahr bedecken *Schneeglöckchen* das Kirchengrundstück.

Unterer Rand

Veilchen; Haselnüsse; Marienkäfer; Schlüsselblumen; Stechpalme und *Beeren; Gräser, Igel* und *Rosen*, die man alle reichlich entlang der Wege sehen kann.

St.Marienkirche in Amport

Maibaumtanz auf dem Dorfgrün

Die Leonardskirche in Grateley

Das Plough Inn in Grateley

GRATELEY

Grateley im Nordwesten Hampshires leitet seinen Namen von der 'greatnlea' ab, der 'großen Lichtung' südwestlich der Kirche. Das Dorf ist klar in zwei Teile geteilt. Einer konzentriert sich um die Kirche, den Gutshof und das Plough Inn, der andere etwa eine Meile entfernt um die Eisenbahn, die im späten 19. Jh. gebaut wurde.

Oberer Rand

Der Schriftzug „Laws for all England 925" – „Gesetze für ganz England" bezieht sich auf ein Konzil (oder 'witanagemot'), das der sächsische König Athelstan, selbsternannter 'König der Engländer', hier 925 n.Chr. gehalten haben soll, und in dem er den ersten Gesetzeskodex für England entwarf. Seine Verordnungen sahen u.a. ein einheitliches Münzsystem vor und legten Strafen für Diebe fest. *Quarleys drei historische Kirchenglocken* hängen in einem überdachten Rahmen neben der Kirchenmauer und werden per Hand aus der Kirche geläutet; *Muster* einiger der sehr alten Bodenkacheln, möglicherweise vom Clarendon Palast, heute in der Kanzel; der *Schild* ist aus dem Wappen der Familie Maudit, der ersten hervorragenden Landbesitzerfamilie von

Grateley im 12. Jh; die *Kette* ist das Symbol St. Leonards, des Patrons der Gefangenen.

Mittelteil

Oben links ist *Quarley Hill*, wo zur Eisenzeit eine befestigte Anlage war. Sie ist die einzige ihrer Art in Hampshire, mit vier gegenüberliegenden Eingängen im römischen Stil. Möglicherweise hat Athelstan sein Konzil dort gehalten. Unterhalb sind *kommerzielle Hühnerbrutanlagen*, die für die lokale Brutindustrie stehen. Im *Bahnhof von Grateley*, der heute nur ein Haltebahnhof ist, steht ein *Zug*; Als die Eisenbahn gebaut wurde, konnte die mächtige Familie Boutcher sich nicht damit anfreunden, daß es nahe ihres Hauses einen Bahnhof geben sollte – und erreichte, daß er eine Meile weiter errichtet wurde. Die Straße, die beide Dorfteile zusammenführt, war früher ein Privatweg der Boutchers zum Bahnhof. Über dem Bahnhof ist ein Hubschrauber aus Middle Wallop beim Übungsflug.

Unter den Hühnerhäusern ist die St. Leonardskirche. Das Mittelschiff stammt im wesentlichen aus dem 12. Jh. Das Bleiglas aus dem 13. Jh. in einem der Ostfenster wurde vor einer Renovierung der Kathedrale von Salisbury durch den Architekten James Wyatt "gerettet". Er hatte es in einen Graben geworfen, wo es entdeckt und nach Grateley gebracht wurde.

Unter dem Bahnhof sind *Nachkriegshäuser*; die *Scheune und das Getreidesilo* gehören zur Manor Farm. Das hervorstechende *Plough Inn* in der Dorfmitte findet sich in der rechten Bildmitte, daneben ein schönes Exemplar einer Roßkastanie, die zu denen gehört, die 1897 zum Gedenken an das diamantene Jubiläum gepflanzt wurden. Eine andere mit rosa "Kerzen" ist in der unteren, rechten Ecke. Über dem *Dorfgeschäft und der Post* sitzen *Schwalben* auf einer Leitung; rechts daneben ist das *Hope Cottage*. *Mrs Harman und Mrs Holland*, bekannte Damen, als die Tafel gestickt wurde, führen ihre Hunde aus. Den Farmer *Peter Clarke* sieht man in der unteren, rechten Ecke mit einem seiner *Zugpferde* (Shire Horses), die typisch sind für das Dorf – eine Kneipe in der Nähe des Bahnhofs, früher Railway Hotel genannt, heißt heute Shire Horse. Auf dem Teich schwimmen *Ailesbury Enten*; am Ufer wachsen *gelbe Iris*, darüber flattern *Schmetterlinge*. In der linken, unteren Ecke ist Eingang und Tor der *Schule von Grateley*, ein Teil davon ragt in die Tafel aus Amport. die Schule dient dem Dorf seit Generationen.

Unterer Rand

Brombeerstrauch; ein *Reh*; *Pilze*; *Eichenblätter*; *Fasane* und eine *Erntemaus*.

Quarley Hill im Winter

Die Kirchenglocken in Quarley

Abbotts Ann
Little Ann

ABBOTTS ANN und LITTLE ANN

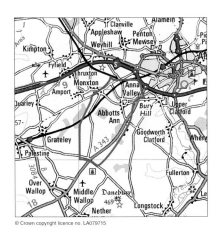

© Crown copyright licence no. LA079715

Diese Tafel ist, sowohl was das Design als auch Details angeht, anders als alle anderen. Ihr Schöpfer, der pensionierte Group Captain Alan Selby, ein Ratskollege von Laurie Porter, wohnte von 1951 bis ein Jahr vor seinem Tod 1990 im Dorf. Da er das von ihm gewünschte Niveau auf der standardisierten Leinwand mit 16 Löchern pro Inch nicht erreichen konnte, entschloß er sich zu feinerem Material und führte alle Arbeiten selbst aus. Das Mallard Cottage und Brook Cottage, ehemalige Wohnhäuser der Selbys, sind auch dargestellt. Leider konnte er seine Mammutaufgabe nicht vollenden und starb, nachdem er etwa zwei Drittel fertig hatte. Glücklicherweise vollendete seine Tochter die Aufgabe und fügte ihre eigene 'Unterschrift' hinzu – einen Whippet-Rennhund, der links als Wolkenformation zu sehen ist.

Abbotts Ann ist ein attraktives, kleines Dorf fünf Kilometer südwestlich von Andover. Früher 'Anna' geheißen, bekam es seinen heutigen Namen als König Edward im 10. Jh. dem neuen Kloster von Winchester 15 Felle des dortigen Landes vermachte; später Hyde Abbey genannt. „Klein-Anna", mit fünf Fellen Land, wurde der Abtei von Wherwell geschenkt. Früher hatten die Römer dort gesiedelt, und 1854 wurden die Reste einer Villa von ca. 300 n.Chr. gefunden. Teil des Mosaikfußbodens ist heute im British Museum.

Oberer Rand

Eine Reihe Cottages in Little Ann: Das rechte Cottage mit vier Mansardenfenstern ist Mallard Cottage; das *alte Pfarrhaus*: ein wunderschönes georgianisches Haus, heute eine Privatresidenz; *drei Jungfrauenkronen* in der Marienkirche: Sie stehen für die berühmte Tradition aus Abbotts Ann, jeder unverheirateten Person tadellosen Charakters, egal ob männlich oder weiblich, die in der Gemeinde geboren, getauft und gestorben war, eine Krone zu verleihen. Die Krone aus frischgeschnittenem Haselholz wurde mit schwarzen und weißen Papierrosetten verziert. Fünf papierne Fehdehandschuhe baumeln von jeder und

fordern jeden heraus, der an der Rechtmäßigkeit der Verleihung zweifelt.

Die Krone wird bei der Begräbnisprozession von zwei weißgekleideten Mädchen hochgehalten, und dann drei Wochen lang in der Kirche aufgehängt. Wenn die Rechtmäßigkeit nicht angezweifelt wird, wird die Krone hoch ins Hauptschiff gezogen und mit einem Schild versehen, das Name und Lebensdaten des Verstorbenen trägt. 49 Kronen haben überdauert, die letzte wurde 1973 verliehen; das *Eagle Inn*: Das heutige Gebäude ersetzte ein 1865 'in einem heftigen Feuersturm' niedergebranntes; eine *Reihe von Cottages* in der Dorfmitte. Das *Haus mit dem weißen Lattenzaun* ist das alte Schulhaus, dahinter ist die Schule. Es wurde 1831 von Robert Tasker gebaut, der als Schmied 1806 ins Dorf kam, und die Waterloo Eisenfabrik gründete.

Robert, ein Freikirchler, legte fest, daß die Schule für Kinder aller Konfessionen offen sein sollte. Die Schule wurde von dem neu eingetroffenen Pfarrer Revd Samuel Best übernommen, der die treibende Kraft hinter ihrer Entwicklung wurde. Das Schulgeld variierte mit den finanziellen Möglichkeiten der Eltern. Über Taskers gibt es mehr Information in der Beschreibung der Tafel aus Upper Clatford.

Mittelteil

Der Mittelteil zeigt einen Panoramablick von Norden auf die alten Häuser von Abbotts und Little Ann. Das *weiße Cottage nahe der T-Kreuzung* (von Mill Lane und Cattle Lane) vorne in der Mitte ist Brook Cottage. *Zwei Gebäude in der Mill Lane* sind besonders interessant, Lower Mill (das schon im Domesday-Buch von 1086 erfaßt ist) und das alte Pfarrhaus. Auch die Mühle ist heute eine Privatresidenz.

Gegenüber des alten Pfarrhauses ist die *St. Marienkirche*. Sie wurde 1716 über einer alte sächsischen Kirche von Thomas 'Diamond' Pitt erbaut, einem früheren Gouverneur von Madras, der das Manor von Abbotts Ann nach seiner Rückkehr aus Indien 1710 erwarb. Während seiner Zeit in Indien hatte er einen riesigen Diamanten von 410 Karat erworben, den er mit großem Profit an den König von Frankreich weiterverkaufte. Die Kirche, die in einfacher Bauart aus rotem Ziegel entstand, wurde aus dem Erlös finanziert. Auf den angrenzenden Flußwiesen stehen sechs Linden. Sie sind übriggeblieben von einst 12, die auf einer Steuerkarte von 1730 vermerkt sind.

Das hellrote Gebäude rechts der Linden ist der *Kriegsgedächtnissaal* (War Memorial Hall). Das erste Gedächtnishaus war eine Hütte von 1920, die wenige Jahre später niederbrannte und durch ein Steinhaus ersetzt wurde, das wiederum 1977 zur Feier des silbernen Jubiläums der Queen erweitert wurde.

Ganz links im Bild, neben der alten Straße von Andover nach Salisbury, ist die frühere *Poplar Farm* (Pappelhof), die heute ein Restaurant ist. Rechts ist Duck Street, die Hauptstraße des Dorfs, deren Gabelung nach Dunkirt Lane in die Felder führt. Vor dem Einfriedungsgesetz von 1774 waren die Felder in Streifen unterteilt, die von den Dörflern kultiviert wurden. Der Name 'Dunkirt' hat seinen Ursprung wahrscheinlich in den nächtlichen Fahrten der mit Dung beladenen Karren, der als Dünger auf die Felder gebracht wurde.

Unterer Rand

Hier wird der *Pillhill Brook* gezeigt, der früher den Namen Anna trug, und die Fauna der Flußwiesen. Dazu gehören *Spechte*, *Hasen*, ein exotischer *Wiedehopf* und ein *Reiher*. (In Little Ann gibt es einen großen Reiherhorst in den Uferbäumen.) Meist nistet hier auch ein *Schwanenpaar*, und im Winter kommen regelmäßig *kanadische Wildgänse*. Neben den verschiedenen Blumen sieht man noch einen *Fasan*, eine schöne *Schleiereule* und einen *Frosch*, der am Fluß sitzt.

Little Ann

Die Jungfrauenkronen in Abbotts Ann

Upper Clatford
Goodworth Clatford
Barton Stacey
Bullington

UPPER CLATFORD, GOODWORTH CLATFORD, BARTON STACEY und BULLINGTON

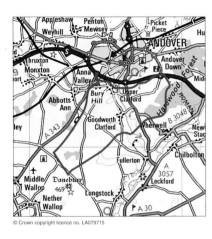

© Crown copyright licence no. LA079715

Die beiden Clatfords, Upper und Goodworth, sind Zwillingsstädte, die sich über den Anton-Fluß spreizen. Obwohl sie den Namen (Clatford bedeutet 'Die Furt wo die große Klette wächst'), die Schule und den Pfarrer teilen, sind sie doch von sehr unterschiedlichem Charakter.

Der Anton-Fluß bei Upper Clatford

UPPER CLATFORD

Oberer Rand

Klettenblätter und Blumen, welche die Herkunft des Namens 'Clatford' symbolisieren.

Mittelteil

In der oberen Mitte ist *Bury Hill*, eine etwa 100m hohe Hügelfestung westlich der Gemeinde, nur etwa eine Meile vom Zentrum Andovers. Von haematitbeschichteten Tonscherben, die um 1930 hier gefunden und ins 6. Jh. v.Chr. datiert wurden, wissen wir, daß die ersten Bewohner Clatfords dort lebten. Auf dem Hügel finden sich drei Wall- und Grabenlinien, von denen der äußere, der älteste, beinahe einen Kilometer lang und nahezu vier Meter tief ist. Der innere Graben war ursprünglich 5,5m tief, der dazugehörige Erdwall knapp 2,5m hoch. Der Bau einer solchen Verteidigungsanlage war ein ehrgeiziges Unternehmen, das nahelegt, daß es entweder einen mächtigen Anführer gab, der die nötigen Arbeiter aufbringen konnte, oder Verbände entlang des Pillhill und Anton, die sich zusammentaten, um eine gemeinschaftliche Festung zu bauen. Dem

Anschein nach wurde die Festung etwa 70 n.Chr. aufgegeben. Obwohl kein zweites 'Danebury', ist Bury Hill doch von großem archäologischem Interesse.

In der linken oberen Ecke ist die *All Saints Pfarrkirche*. In 'Cladford' gab es eine Kirche aus der Zeit vor der Eroberung 1066, aber die ältesten Teile der heutigen Kirche gehören wahrscheinlich zu einem Bau aus dem 12.Jh., der ohne Kirchenschiff auskam. Im Nordfenster des Glockenturms sind zwei Stücke eines beschrifteten Steins, auf denen zu lesen ist, 'Repaired in the Year of the Lord 1578' – 'Im Jahr des Herrn 1578 wiederhergestellt.' Das zweite Nordschiff und der vergrößerte Chor stammen aus den 1890er Jahren, die Sakristei von 1903.

Ein wichtiger Teil der Geschichte von Clatford ist die Firma Taskers, die über 160 Jahre den Lebensunterhalt vieler Clatforder garantierte. Ein Teil der *Tasker-Fabrik* und eine ihrer *Zugmaschinen* sind rechts abgebildet. Alles begann 1803, als ein 21jähriger Schmied namens Robert Tasker aus dem nahen Devizes in der Schmiedewerkstatt von Abbotts Ann arbeitete. Robert war ein unternehmungslustiger Mann mit Weitblick, der zunächst einen Pflug entwarf und baute, der sich erfolgreich verkaufte. 1813 schloß

sein Bruder sich ihm an, und zusammen ließen sie sich in Upper Clatford nieder, wo sie Pflüge und andere Landmaschinen sowie gußeiserne Pumpen und Haushaltsgeräte herstellten. Das Geschäft florierte und wurde bald nach der Schlacht 1815 in 'Waterloo Ironworks' umbenannt. Auf einem Gelände, das Waterloo Square genannt wurde, bauten sie Arbeiterunterkünfte. Ihre erste, 1869 konstruierte Zugmaschine war auch die erste Dampfmaschine, die man in der Gegend zu sehen bekam.

Zum Ausgang des Jahrhunderts bauten verschiedene Tasker-Unternehmen Maschinen, Dreschflegel, Eisenbrücken und anderes. Im Ersten Weltkrieg stellten sie Munition her, und im Zweiten riesige 'Queen Mary' Tieflader, die ganze Kampfflugzeuge transportieren konnten. Bis in die 80er Jahre des 20. Jhs. wurden hier auch Lkw-Anhänger gebaut. Heute ist von der Eisengießerei nichts mehr übrig; auf dem Gelände ist nun eine Wohnsiedlung. Die Maschine auf dem Bild heißt 'Little Giant' und wurde 1902 gebaut.

Die *Brücke* mit den eleganten Zierbögen (unten links) ist ein schönes Beispiel für eine Tasker-Eisenbrücke, und führt in der Nähe der pittoresken Angelhütte über den Anton-

Fluß. In der Mitte sind die *Kalkgruben*, die von den Tasker-Brüdern ausgehoben wurden, um Ballast für die Fundamente ihrer Konstruktionen im Clatford Marsh zu gewinnen. Das Gebäude mit dem Mittelbogen (rechts unten) war eine Schule, die 1831 von den Taskers im Anna Valley errichtet wurde. Links wohnten die Lehrerin und ihr Mann; rechts des Bogens war das Schulzimmer. Heute führt es den Namen 'The Lodge' und ist eines der vielen denkmalgeschützten Gebäude der Gemeinde. Als die Lodge-Schule zu klein wurde, baute die Firma eine weitere hinter der Workmen's Hall.

Unterer Rand

Königskelche, die in der Watery Lane wachsen.

Upper Clatford

GOODWORTH CLATFORD

Goodworth ist das kleinere der beiden
Clatfords und auch unter den Namen 'Lower'
(Unter) und 'Nether' (Nieder) bekannt. Die
angelsächsische Herleitung von 'Goodworth'
ist möglicherweise 'Godas Einfriedung', aber
von Goda ist nur wenig bekannt.

Oberer Rand

Ein '*nickender Esel*' steht für die Ölförderung,
die ab 1986 zwei Jahre lang in der Gemeinde
betrieben wurde; ein *Pferd mit Reiter* – im
Dorf ist ein Reitstall. Die *Schlüssel von
St.Peter* auf dem Kirchenwappen; *gekreuzte
Tennisschläger*, die den erfolgreichen Club
symbolisieren; ein *Traktor* steht für die
Landwirtschaft.

Mittelteil

Das *Silo* oben rechts wurde 1936 als
Wasserturm erbaut und mit Holz
umschlossen. Es dominierte den Blick und
gewährt eine großartige Aussicht über das
Tal. Links davon ist die *Pfarrkirche St.Peter*,
die bis zur Auflösung der Klöster eine Filiale
der Priorei Wherwell war. Anfangs besaß die
Kirche nur ein kleines Schiff mit Chor, zu
dem gegen Ende des 12. Jhs. ein Südschiff

hinzugefügt wurde. Im 14. Jh. wurde noch
ein Nordschiff gebaut und der Turm
erneuert. Beide Seitenschiffe wurden im 15.
Jh. renoviert. Besonders stolz ist man in
Goodworth Clatford auf die acht Glocken,
deren älteste von 1622 stammt, und die noch
regelmäßig geläutet werden.

Der *Baum an der Flußgabelung*, wo der
Pillhill Brook in den Anton fließt, ist eine
Sumpfzypresse (Taxodium) aus Südamerika.
Auf dem gegenüberliegenden Ufer stehen
mehrere *gestutzte Weiden*. Die *Schwäne* auf
dem Fluß symbolisieren die vielen Schwäne,
die dort leben; etwas tiefer sind *Enten* zu
sehen.

Moseley Cottage (rechts) in der Dorfmitte ist
typisch für die vielen rietgedeckten Häuser.
Achten Sie auf den *Angler* auf der Bank! Das
rote Ziegelgebäude ist der *Dorfklub*, das
Zentrum der dörflichen Aktivitäten und ein
Geschenk Sir Alfred Yarrows aus dem Jahr
1923. Sir Alfred hatte auch für zwei andere
Orte, in denen er gewohnt hatte, Klubhäuser
gebaut. Er war ein freigiebiger und
unternehmungslustiger Mann – und vielleicht
auch ein wenig exzentrisch. Er schlief immer
in einer Hängematte, und seine Alarmanlage
schaltete im Fall eines Einbruchs alle Lichter
im Haus gleichzeitig an.

Der Wasserturm in Goodworth Clatford

Der Anton bei Goodworth Clatford

Die *Krone im Eichenbaum* steht für das Hotelrestaurant 'Royal Oak', das zusammen mit der Schule und den Forge Cottages bei einem Fliegerangriff am 14. Juli 1944 zerstört wurde. Es gab Tote – Flüchtlinge aus London, die nach Clatford gekommen waren, um dem Blitzkrieg zu entgehen! Das Royal Oak, ursprünglich an einer Straßenecke gelegen, wurde später etwa 30m weiter neu aufgebaut.

Unterer Rand

Eine *Große Klette*, ein *Reiher*; *Königskelche*; *wilder Sauerampfer*; eine *Hirschkuh*; *Weidenkraut*.

BARTON STACEY UND BULLINGTON

Die ersten Bewohner von Barton Stacey waren zwischen 3500 und 2000 v.Chr. Angehörige eines neolithischen Stammes, der seine Toten in Hügelgräbern im Moody Down bestattete, wo heute ein militärischer Schießübungsplatz ist. Auch für ein römisches Lager östlich des Gutshofs gibt es Belege. In sächsischer Zeit hieß das Dorf Bertun ('ber' von Gerste und 'tun' von Ort) und war ein königliches Gut Edwards des Bekenners. 1206 wurde der Gutshof an Sir Rogo de Stacey vergeben, daher auch der Name. Bartons Schwestergemeinde Bullington liegt im Schatten des Tidbury Hill mit der antiken Hügelbefestigung Tidbury Ring.

Oberer Rand

Das *brennende Haus* erinnert an das große Feuer vom 7. Mai 1792, in dem ein großer Teil des Dorfes zerstört wurde. Ein Funke aus der Schmiede entzündete 'trockene Streu bei einem Gurkenbeet', die wiederum das Strohdach des angrenzenden Mühlhauses in Brand setzte. Es wehte ein starker Wind, und so hatten bald viele Häuser, Scheunen, Kornspeicher und Heuschober Feuer

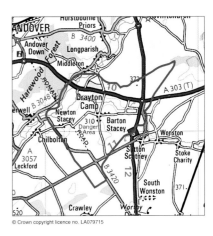

gefangen. Es gab einen Toten, den Bauern Friend, der nach oben gestürzt war, um seine Ersparnisse von 400 Guineen zu retten. Ein zeitgenössischer Bericht sagt, daß in der Asche nur noch ein kleiner Teil seiner Wirbelsäule gefunden wurde.

Das Feuer ist auch der Grund dafür, daß es im Dorf keine rietgedeckten Dächer mehr gibt; der *römische Soldat* und sein Gegenstück, der *moderne Soldat*, symbolisieren, daß es seit römischer Zeit in dieser Gegend Armeelager gab. Das große Militärlager mit seinen Familienwohnungen, etwa 1 Meile von der Dorfmitte gelegen, wurde kurz vor dem Zweiten Weltkrieg errichtet. Die alliierten Führer Sir Winston Churchill und General Dwight Eisenhower besuchten 1942 das Lager von Barton Stacey, als dort amerikanische Truppen stationiert waren. Heute dient das Lager Trainingszwecken; der *Weizen* steht für das alte Recht der Dörfler, auf dem Dorfmarkt Getreide zu dreschen.

Schwäne auf dem Test

Mittelteil

Die Felder oben liegen auf beiden Seiten der Straße, die nach Newton Stacey heraufführt. Newton wird von Barton Stacey durch eine alte Römerstraße getrennt. Wenn der Schießplatz der Armee in Gebrauch ist, wird die *rote Flagge* gehißt. *Heißluftballons* und *Hubschrauber* sind oft zu sehen. Unter dem Weizenfeld ist ein *Traktor* zu sehen.

Die *All Saints*-Gemeindekirche in Barton Stacey ist in der Mitte, am Fuß des Hügels, zu sehen. Die erste Kirche stand schon im 10.Jh. hier und trug den Namen St.Victor. Im 12.Jh. wurde sie im normannischen Stil erneuert. Bis zum Niedergang des Armeelagers diente sie als Garnisonskirche.

Gut sichtbar in der Mitte ist auch *The Swan Inn*, das mindestens 200 Jahre alt ist. Daneben sind die *Dorfläden*, die *Post* mit ihrem *roten Briefkasten*, und, sehr ungewöhnlich für ein Dorf, ein Waschsalon. Das Gebäude, dessen Giebel hinter dem Laden hervorschaut, ist das 'Homelea' . Die *Häusergruppe* über dem Inn-Schild steht für den Blick nach Süden über die Dorfstraße, wo man auch das Chestnut Cottage sehen kann, das Heim von Mrs J. Sambell, welche die Tafel entwarf. Das *Pferd*, das man in der

Mitte sieht, heißt Chammy und gehört Kim und Claire Wainwright.

In der linken unteren Ecke sieht man den *Viadukt*, der die Eisenbahn, die mittlerweile außer Betrieb ist, über den Fluß Delver trug. Ganz in der Nähe steht die pittoreske *Kirche St.Michael und alle Engel* aus Bullington, die aus dem 11. Jh. stammt, und von dem Gutsherrn für den privaten Gebrauch seiner Familie und Arbeiter gebaut wurde. Entlang des Kirchwegs stehen *Linden*, die für die 12 Apostel stehen. Im Frühjahr wachsen dazwischen Narzissen. Über der Kirche sieht man in den Dever Springs Trout Fisheries, einem kommerziellen Angelsee, einen *angelnden Mann*.

Lower Border

Im Harewood-Wald grasende *Rehe*; *Mohn*; *Igel*; grasende *Schafe*; der Dever ist reich an Forellen, und Angler können Ruten bei der Fischerei mieten; es gibt viele *Fasane*, und die Gegend ist ein Wohngebiet für *Schleiereulen*.

Die Kirche in Bullington

Normannische Tür in der Kirche von Bullington

Chilbolton
Wherwell
Longparish

CHILBOLTON, WHERWELL und LONGPARISH

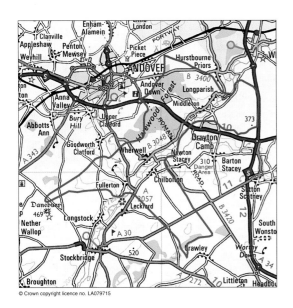

© Crown copyright licence no. LA079715

Chilbolton

CHILBOLTON

Chilbolton ist eines der größten Dörfer im Test Valley und liegt nördlich des Zusammenflusses von Test und Anton. Es verdankt seinen großen Charme der Kombination von pittoresken, strohgedeckten Häusern und modernen wissenschaftlichen Entwicklungen auf dem alten Flugfeld sowie dem Anger, der, was die Botanik angeht, einen internationalen Ruf genießt. Der Test, der Chilbolton von Wherwell trennt, bildet die nördliche und westliche Grenze. Zur Domesday-Zeit hieß der Ort Cilbodentune.

Oberer Rand

Flechtwerk, das auf den Hostieneisen der Vor-Reformationszeit zu sehen ist. Bevor die Normannen kamen, wurden in Chilbolton Hostien für Fastenzeit-Gottesdienste gebacken. Die Eisen für diese einzigartigen Hostien waren mehr als drei Jahrhunderte in Gebrauch. Sie gehörten der Familie Baverstock, die sie zusammen mit dem geheimen Rezept über Generationen weitervererbte. In einem Holzfeuer erhitzt ließen sich mit ihrer Hilfe zarte, knusprige Hostien mit kirchlichen Mustern herstellen. Auf einer Seite standen die Buchstaben IS für Jesus, den Retter. Die Produktion lief bis

1950; heute sind die Eisen im Winchester Museum; *König Athelstan*, der, wie die Überlieferung besagt, um 925 in Chilbolton Schutz vor den Dänen suchte. Es wurde beschlossen, den Krieg durch einen Zweikampf zu entscheiden, der auf dänischer Seite von dem Riesen Colbrand, auf englischer von Guy, dem Earl von Warwick, auf einer Wiese außerhalb Winchesters ausgetragen werden sollte, die heute noch Danesmead (Dänenwiese) heißt. Earl Guy wurde von einer Krähe unterstützt, die um den Dänen herumflatterte und so seine Niederlage beschleunigte. Der König gab das Dorf an den Klerus der Kathedrale von Winchester; die *Goldene Kralle*, Zeichen der 17. Airborne Division der amerikanischen Armee. Sie erinnert daran, wie die Division 1944 mit Seglern und Fallschirmspringern in einer Zeltstadt auf dem Flugfeld stationiert war. Im Dezember nahmen die mit Fallschirmspringern vollgepackten Segler an der Ardennenschlacht in Belgien teil. Noch heute besuchen Veteranen den Ort, und 1984, zum 40. Jahrestag des D-Days, kam eine große Abordnung aus Amerika, die Chilbolton eine amerikanische Flagge übergab, die schon über dem Capitol in Washington gehißt war; das *Radioteleskop* auf West Down, das kilometerweit sichtbar ist. Die riesige Schüssel mit einem Durchmesser von etwa 12m wurde 1967 auf dem alten Flugfeld errichtet und dient dem Science Research Council als steuerbare Radioantenne.

Mittelteil

Oben fliegt eine *Spitfire*. Im Zweiten Weltkrieg wurde Chilbolton Down zu einem Flugplatz ausgebaut, einer Außenstelle des Aerodroms von Wallop. Den ganzen Krieg hindurch war hier eine Basis für Spitfires, und 1945 landeten hier, vor ihrer Heimkehr, Tausende von alliierten Kriegsgefangenen. Später nutzte die RAF das Flugfeld um neue Jets zu testen, darunter Swift und Vampire. Später wurde der größte Teil des Landes an seine früheren Eigentümer zurückgegeben. Links ist *Fullerton Clump*, ein lokales Wahrzeichen, darunter der Dorfanger, *Chilbolton Common*, der zu einem Ort besonderen wissenschaftlichen Interesses erklärt wurde. Vom Dorf aus erreicht man ihn über einen Fußpfad, von Wherwell aus über den Test. Er ist nie gepflügt oder mit Chemikalien behandelt worden, nur Kühe beweiden ihn. Auf seinen Böschungen und Gräben wachsen sowohl kalkfeindliche als auch -tolerante Pflanzen, von denen mehr als hundert von Wissenschaftlern identifiziert worden sind. Daneben ist der Anger auch ein wichtiges Brutgebiet für Schnepfen, Rotschenkel und andere Vögel. Die *Purlygig-Brücke* führt über einen Zufluß des Tests. Es wird angenommen, daß der Name sich von einem Strudel (Whirlygig) unter den Weiden auf der Wherwell-Seite ableitet. Der *Dorfschleifstein* wurde zur Krönung König Georgs V und der Königin Mary von Thomas Waterman, dem Gastwirt des New Inn, gestiftet. Waterman war außerdem Schreiner, Maurer, Stellmacher, Totengräber und Schornsteinfeger. Jahrelang stand der Schleifstein unter einer Ulme neben dem Dorfsaal und wurde von den Knechten zum Schleifen von Sicheln und Sensen genutzt; heute jedoch findet man ihn auf der Wiese gegenüber von Abbot's Mitre Inn.

Willow Cottage und *Tudor Cottage*, die im Bild hervorstechen, sind typisch für die attraktiven Häuser im Instandsetzungsgebiet des Dorfes. Dahinter sieht man die *Pfarrkirche* mit dem ungewöhnlichen Namen St.Mary-the-Less. Der Chor ist aus dem 13. Jh., die Schiffe aus dem 14. Jh., und eine Inschrift über der Tür zur Sakristei erinnert an die Restauration von 1893. Im Kirchhof steht noch eine Zypresse, die 1897 zum diamantenen Jubiläum Königin Victorias gepflanzt wurde.

Die Radioantenne von Chilbolton Down

Unterer Rand

Totenkopf-Motte (Acherontia atropos), die hier lebt; die *Schlüsselblume* (Primula veris) wächst auf dem Anger; ein *Kiebitz* (Vanellus vanellus), der auf dem Anger nistet.

WHERWELL

Viele sagen, Wherwell an den Ufern des Test
sei mit seinen vielen rietgedeckten und
gezimmerten Cottages an der gewundenen
Straße eines der schönsten Dörfer des Test
Valley; mit Sicherheit ist es eine Freude jedes
Amateurfotografen. 955 trug es den Namen
'Hwerwyl', was vielleicht 'Topf' bedeutete
oder 'Kessel', wegen der sprudelnden
Quellen. Die Aussprache des Namens war
immer umstritten, die Variationen reichen
von 'Uer-well' über 'Wer-rel' zu 'Hörrel'.

Wherwell

Sternhyazinthen im Harewood-Wald

Oberer Rand

Euphemia, die Äbtin der Abtei Wherwell
1226-1257. Sie scheint eine mittelalterliche
Florence Nightingale gewesen zu sein, die –
obwohl sie im Ruf steht, zart und fromm
gewesen zu sein – 'eher den Geist eines
Mannes als den einer Frau' besaß. Sie tat
viel, um die Besitzungen der Abtei zu
vergrößern. 'Für den Gebrauch sowohl der
Kranken als auch der Gesunden baute sie mit
mütterlicher Frömmigkeit und großer
Vorsicht einen neuen, großen Hof abseits
der Hauptgebäude ... Unter dem Hof baute
sie einen Wasserkanal, durch den ein Strom
mit genügend großer Stärke floß, den ganzen
Abfall fortzutragen, der sonst die Luft
verpestet hätte ...'; ein *Basiliskenmonster*. Die
Legende besagt, daß vor vielen Jahren ein
Entenei unter der Priorei von einer Kröte
ausgebrütet worden, und ein Basilisk
geschlüpft sei. Als er klein war, wurde er
gefüttert und gepflegt. Aber er entwickelte
sich zu einem furchtbaren Ungeheuer,
dessen Hunger nur mit Menschenfleisch
gestillt werden konnte. Man bot dem, der
ihn tötete, vier Morgen Land, und einige
Männer verloren bei dem Versuch ihr
Leben. Dann hatte ein Knecht namens
Green eine brillante Idee. Er ließ einen
großen Stahlspiegel in das Verlies, wo der

Basilisk, der ein anderes Tier seiner Art zu sehen glaubte, tagelang gegen den Spiegel rannte. Als er beinahe tot war, ließ der unerschrockene Green sich hinab, und tötete ihn mit einem Speer. Im Harewood-Wald gibt es noch heute ein 4 Morgen großes Stück, das 'Green's Acres' genannt wird. Eine Wetterfahne mit dem Basilisken wehte einst über der Kirche und befindet sich heut im Museum von Andover; die *Abtei von Wherwell*, von Königin Elfrida 986 gegründet. *Königin Matilda* (Maud) 1102-1167 und *König Stephen* 1097-1154. Matilda ist symbolisch als vor Stephen fliehend dargestellt, um die Schlacht ihrer Streitkräfte bei Wherwell zu thematisieren, die während eines 15-jährigen Erbfolgekriegs gefochten wurde. König Heinrich I hatte Matilda zur Erbin eingesetzt. Aber als er 1135 in der Normandie starb, setzte sein Neffe Stephen de Blois nach England über und wurde in London gekrönt. 1139 kam Matilda dann nach England und vereinigte ihre Streitmacht mit der ihres Halbbruders Robert von Gloucester, um Stephens Recht auf den Königstitel anzufechten. In der Schlacht von Lincoln im Februar 1141 besiegte Matilda Stephen. Er wurde in Bristol eingekerkert, und am 3.März 1141 wurde Matilda in der Kathedrale von Winchester zur Domina Anglorum gewählt.

In der Erwartung, gekrönt zu werden, begab sie sich nach London, doch ihre Arroganz verursachte einen Aufstand, vor dem sie fliehen mußte. Schließlich etablierte sie in der Abtei von Wherwell eine Garnison. Noch im September desselben Jahres wurde sie in einer Schlacht vor dem Dorf von Anhängern Stephens besiegt. Viele wurden getötet; andere suchten Zuflucht in der Abtei, die dann niedergebrannt wurde.

Die Kämpfe zwischen Matilda und der Partei Stevens dauerten noch mehrere Jahre.

Mittelteil

Die Häuser links der Straße repräsentieren den Teil des Dorfes, der für den ältesten gehalten wird. Einige der Häuser haben Fachwerkmauern. Darüber ist die *Pfarrkirche St.Peter und Holy Cross*, die man über eine kleine Brücke erreicht. Die Kirche wurde 1856-58 renoviert, und heute noch kann man hier und dort im Dorf Fragmente der alten Kirche finden.

Über der Kirche ist das *White Lion Inn*, an der Haarnadelkurve in der Straße nach Andover. Im Bürgerkrieg wurde die Priorei belagert, aber die Geschütze von Cromwells Armee zielten zu weit, so daß die Geschichte

Rietgedeckte Häuser in Wherwell

Church Street, Wherwell

Forellen im Test

geht, zwei ihrer Kugeln seien durch den Schornstein des eine halbe Meile weiter gelegenen, efeubedeckten Inns aus dem 17. Jh. gefallen. Eine der Kugeln kann heute noch besichtigt werden. Auf der anderen Seite ist die *Alte Schmiede*, die leider verfallen ist.

Unter der Schmiede ist die *Priorei*, wo früher die selige Marjorie lebte, die Gräfin von Brecknock. Das Haus befindet sich auf dem Gelände des Nonnenklosters, das Königin Elfrida gründete. Es geht die Sage, daß König Edgar einen seiner Höflinge, Aethelwold, zu Elfrida schickte, damit der für ihn um ihre Hand anhalte, falls ihre Schönheit den Berichten entspreche. Aethelwold fand, daß dies so war, und heiratet sie, ohne seine wahre Mission zu enthüllen, selber. Naiverweise meldete er dem König, sie sei nichts als eine vulgäre Landpomeranze. Unvermeidlicherweise kam Edgar ihm auf die Schliche und lud sich selbst auf Aethelwolds Manor in Harewood ein. Am nächsten Tag ermordete Edgar ihn auf der Jagd, indem er ihm den Speer in den Rücken stieß. Später heiratete er Elfrida und zeugte mit ihr einen Sohn, Ethelred. Die Legende geht, daß Elfrida nach Edgars Tod seinen Sohn Edward (den Märtyrer) aus erster Ehe bei Corfe Castle umbringen ließ, so daß ihr eigener Sohn Ethelred (der

Unfertige) auf den Thron steigen konnte. William von Malmesbury berichtet, daß Elfrida die Abtei von Wherwell gründete; möglicherweise, um Buße zu tun. Das Nonnenkloster blühte, bis es 1540 von Heinrich VIII zerstört wurde. Heute erinnert nichts mehr an die Abtei, aber die Priorei, ein wunderschönes altes Haus, wurde in der Nähe erbaut.

In der Mitte des Bildes ist das *Kriegsdenkmal* und ein Kirschbaum. Der Baum steht heute nicht mehr; er wurde 1987 das Opfer eines Sturms. Unter der Brücke am Ende der Straße fließt der *Test*.

Unterer Rand

Schafe; *Stockente, Schwan* und *junger Schwan* auf dem Test; *Fasan*; *Damhirsch* im Harewood Wald.

LONGPARISH

'Longparish' (langer Ort) ist ein sehr passender Name für das Dorf, da es sich in der Tat über 5km erstreckt und sich an den Ufern des Test entlang schlängelt. Der Name kam erst im 16. Jh. auf, etwa zur Zeit der Auflösung der Klöster. Davor war es als Middleton (oder Middletune) bekannt.

Die Gemeinde setzt sich aus vier alten 'Zehnten' zusammen, nämlich East und West Aston, Middleton, und Forton. Abgesehen von einigen Nachkriegs-Verwaltungsbauten ist Longparish seit Jahrhunderten unverändert und besteht hauptsächlich aus Fachwerk-, Ziegel- und Flintcottages.

Oberer Rand

Die *Ermordung Aethelwoods* durch König Edgar, wie sie in der Beschreibung der Wherwood-Tafel geschildert wurde. Ein Denkmal im Harewood Forest, das 1825 von Lt Col William Iremonger aufgestellt wurde und als 'Deadman's Plack' bekannt ist, trägt folgende Inschrift: „Um das Jahr des Herrn DCCCCLXIII, so berichtet die Überlieferung, tötete Edgar (gennant der Friedliche), König von England, an diesem

Ort, genannt Deadman's Plack, mit der Hitze der Jugend, Liebe und Entrüstung eigenhändig seinen verräterischen und undankbaren Liebling Earl Aethelwood, den Besitzer dieses Waldes, weil der Earl das königliche Vertrauen schändlich verraten und heimtückisch die für den König bestimmte Braut, die schöne Elfrida, Tochter Ordgars, des Earls von Devonshire, geheiratet hatte, die später König Edgars Weib wurde und die Mutter seines Sohnes, des Königs Ethelred II; Königin Elfrida, die nach Edgars Tod seinen ältesten Sohn, König Edward den Märtyrer, ermordete und das Nonnenkloster von Wherwell gründete."; *Ashburn Rest* – ein Eichensitz an einer Quelle, wo einst ein Trinkbecher am steinernen Rand befestigt war. Ashburn Rest wurde 1886 vom Revd Burnaby-Green errichtet, zur Erholung und Erfrischung für seine Gemeindemitglieder auf dem langen Weg zur Kirche. Folgender Spruch ist darauf eingeschrieben: „O ihr Quellen, der Herr segne euch. Preiset und ehrt ihn in Ewigkeit"; der *Pranger* ist vor dem Kirchhof, nahe dem östlichen Friedhofstor. Durch ein unglückliches Mißverständnis wurden er 1936 durch einen neuen ersetzt! Wann er zuletzt benutzt wurde, ist nicht verzeichnet. *Father Time*, die berühmte Windfahne auf dem Dach des Lords Cricketfelds, erinnert

Das Deadman's Plack Denkmal

Blick zur Kirche von Longparish

daran, wie der Longparish Cricket Klub am 31. August 1987 beim Samuel Whitbread Turnier siegte. Cricket hat eine lange Geschichte in Longparish; die Aufzeichnungen reichen bis 1878 zurück. 1987 wurde Treeton Welfare aus Yorkshire mit 76 Runs besiegt und der Pokal im Triumph mit nach Hause genommen.

Mittelteil

Die *Häuser* oben unterm Horizont sind die aus Forton, am westlichen Ende des Dorfes. Die *St.Nicholaskirche* links wurde zwischen 1100 und 1200 erbaut. Von der ursprünglichen Kirche sind noch die Arkaden des Chorraums erhalten. Zum Gedächtnis des silbernen Jubiläums König Georgs V beschloß das Dorf, die Glocken wieder aufzuhängen, wobei eine neue hinzugefügt wurde, so daß es nun insgesamt sechs gibt. 1950 wurde das 750-jährige Bestehen der Kirche gefeiert.

Etwas die Straße hinunter ist die *Schule*. Sie wurde 1837 von der 'Nationalen Gesellschaft zur Förderung der Erziehung Armer unter den Prinzipien der Etablierten Kirche' eröffnet. 1957 wurde für die Grundschüler aus Longparish und Hurstbourne Priors eine neue Schule der Church of England gebaut,

die etwa 70 Schüler hat. Am Grenzzaun des Schulgeländes fließt der Test.

Gegenüber der Kirche ist der *Dorfsaal*. Das Grundstück wurde 1910 der Diözesan-Finanzverwaltung übertragen, damit dort ein Gemeindesaal errichtet werde. 1963 wurde der Dorfsaal dem Pfarrgemeinderat billig vermietet, dessen Verwaltung in den Händen des Dorfverwaltungskomitees lag.

Das charmante rietgedeckte Cottage unter dem Dorfsaal ist das alte Kuratorium, typisch für das Dorf, und darunter *The Plough*, ein Gasthaus; eines der beiden Inns des Dorfes. Es wurde im 19. Jh. mit der Rückseite zum Test gebaut.

Gegenüber ist das *Haus der Oberen Mühle* ('The Upper Mill'), vor dem diagonal die Brücke verläuft. Die Mühle ist eine von zweien im Dorf (beide werden im Domesday-Buch erwähnt). Zur Zeit wird sie vom Besitzer renoviert, der drei oder vier Mühlsteine aus dem Fluß geborgen, Teile der Maschinerie wiederhergestellt und die Hölzer des Wasserrades erneuert hat.

Der Test, oft überbrückt und an üppige Wiesen grenzend, ist ein wichtiger Teil des Dorfes. Entlang des im Bild dargestellten

Teils wachsen Trauerweiden, Pilze und
verschiedene Feuchtwiesenpflanzen, die,
zusammen mit der Brücke und den Enten,
repräsentativ für den Flußabschnitt um das
Dorf sind.

Unterer Rand

Reiher; *Damhirsch*; *Schwan*; *Forelle* und
Königsfischer.

Die Paper Mill Farm in Longparish

Der Fluß bei Longparish

Die Wallops
(Nether Wallop und Over Wallop)

THE WALLOPS

DIE WALLOPS (NETHER WALLOP und OVER WALLOP)

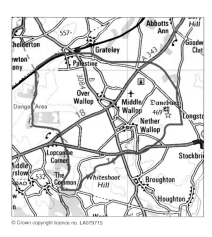

© Crown copyright licence no. LA079715

Über drei Meilen entlang des Flusses Wallop, der bei Bossington in den Test mündet, sind drei Dörfer aneinandergereiht, die ihren Namen von dem kalkhaltigen Strom herleiten: Nether-, Middle- und Over Wallop. Der Name kommt von 'waella' (Straße) und 'hop' (Tal), oder, um es poetischer zu sagen, der Ort des springenden Wassers. Nether und Over sind äußerst attraktive Dörfer; Middle Wallop liegt zwischen den beiden an einer verkehrsreichen Kreuzung und beherbergt eine Armee-Fliegerschule. In der Tafel aus Wallop ist Nether links und Over rechts abgebildet.

NETHER WALLOP

Nether Wallop zieht sich etwa eine halbe Meile entlang des Flusses hin, wobei Kirche und Dorf in der Hauptbiegung liegen.

Oberer Rand

Eule; Fasan; Königsfischer; Wappen der Paulets. 1547 kaufte Sir William Paulet, der spätere erste Marquis von Winchester, den Herrenhof in Nether Wallop und begründete damit die Herrschaft der Famile Paulet oder Powlett, die 364 Jahre dauern sollte; *Nachtigall; Schwalbe;* Großer Brachvogel; Kleiber.

Mittelteil

Der *Hubschrauber* (oben links) kommt von der 'School of Army Aviation', der militärischen Flugschule, die in der 1938-40 erbauten, ehemaligen RAF-Kaserne untergebracht ist. Im Krieg waren hier Kampfflieger stationiert; das Flugfeld wurde mehrmals bombardiert. Heute nutzt die Luftwaffe sowohl in Nether als in Over Wallop Land für die Schule, die das operationale Trainigszentrum der militärischen Luftfahrt ist. Die Hubschrauber überfliegen die meisten Dörfer des Distrikts. Links sieht man das *Flughafengebäude* und die

Eine Lynx-Formation über dem Flugfeld von Middle Wallop

rote Windfahne. Außerdem gibt es auf dem Flugfeld das Museum für Militärische Luftfahrt. Die Armee-Flugschule genießt im Test Valley das Recht, 'bei allen feierlichen Anlässen mit Ehre und Auszeichnung durch die Straßen des Kreises zu marschieren und die Fahnen zu zeigen, zum Klang der Kapellen und Schlagzeug und mit aufgepflanztem Bayonett.'

Oben ist das *Danebury Hill Camp*, eines der besterhaltenen eisenzeitlichen Lager in Hampshire. Durch die Ausgrabungen, die unter der Leitung von Professor Barry Cunliff durchgeführt wurden, gewann der Danebury Ring internationale Bedeutung. Diese größte Ausgrabung einer prähistorischen Stätte in Großbritannien hat einen beispiellosen Einblick in das Leben in einer eisenzeitlichen Befestigung in der Zeit von 600 v.Chr. bis 50 n.Chr. ermöglicht. Unter Danebury sind *bäuerliche Arbeiten* dargestellt, außerdem *zwei Reiter*. Das Gebäude rechts oben ist *Fifehead Manor*, das durch die Legende mit Lady Godiva verbunden ist.

In der Mitte sieht man die *Gemeindekirche St.Andrew*. Sie wurde etwa 50 Jahre vor der normannischen Eroberung gebaut, als Nether Wallop noch dem Earl Godwin gehörte. Die Normannen vergrößerten die

Kirche und errichteten einen Westturm. Später wurde eine Turmspitze hinzugefügt, die bis 1704 Bestand hatte. Dann ist verzeichnet: 'Der Turm der Kirche von Wallop stürzte mit verrotteten Wänden ein'. Im Chor ist die einzig bekannte Gedenktafel einer Äbtin, Mary Gore, die 1436 starb und in der Kirche beigesetzt wurde.

Rechts der Kirche ist der ungewöhnliche *Pyramiden-Gedenkstein* von Dr. Francis Douce, der 1760 starb. Testamentarisch hinterließ er Geld, 'damit Jungen und Mädchen in der Gemeinde Schreiben und Lesen und eine kleine Rechnung machen gelehrt werden, aber das darf nicht zu weit gehen, auf daß sie nicht hochmütig werden und die Mädchen alle Kammerfrauen werden wollen und es in ein paar Jahren keine Köchinnen mehr gibt.'

Der Blick nach Danebury

Das große Haus links der Kirche ist *Garlogs* (vielleicht eine Verstümmelung von 'Gores Lodge'), Heim der oben genannten Äbtin. Daß sie in der Kirche beigesetzt wurde, deutet darauf hin, daß sie aus dem Ort kam. Es heißt, ein Tunnel habe das Haus mit 'Monks' in der Dorfmitte verbunden. Ein späterer Bewohnen war der brillante Jockei und Trainer Tom Cannon, Urgroßvater von Lester Piggott. Er machte Danebury zu

Detail eines Wandbildes in der Kirche von Nether Wallop

einem der feinsten Gestüte im ganzen Land. Das Haus mit den großen Schornsteinen rechts der Kirche ist das ehemalige *Wallop House*, das 1838 auf dem Gelände des Nonnenklosters errichtet wurde und heute das Winton House Altenheim ist.

Im mittleren Vordergrund ist die *Mühle*, die bis 1949 nicht nur als Mühle, sondern auch als Bäckerei in Gebrauch war. Heute beherbergt sie einen Angelbedarfsladen und eine Forellenzucht. Am Ende der *Gruppe von Cottages* rechts ist der *Dorfsaal*. Der kleine Wallop mit den ihn säumenden Weiden zieht sich durchs ganze Bild. Einige der ersten Cricketschläger wurden aus dem Holz von Wallop-Weiden gemacht, darunter auch die des Dr. W.G. Grace. Unten links ist die *Place Farm* auf einem Stück Land, das wahrscheinlich schon vor der normannischen Eroberung besiedelt war. Später war sie das Heim der Paulets und in jüngerer Zeit des gefeierten Dirigenten Leopold Stokowski.

Unterer Rand

Flora aus der Gegend, darunter *Arum, Sternhyazinthen, Löwenzahn* und *Fingerhut*. Zwischen den Blumen ist ein Hase und eine Schnecke.

OVER WALLOP

Im Domesday Buch wird Over Wallop als das 'andere Wallop' beschrieben, kleiner als Nether. Zur Zeit der Eroberung gehörte es König Harold; es war die Heimat seiner Mutter, der Gräfin Gueda, gewesen. Hier im Townsend Field entspringt der Wallop Brook. Schon in frühesten Zeiten folgte die Hauptstraße der Nordseite des Baches, und Anwesen auf der anderen Seite nutzten Holzbrücken, um ihn zu überqueren.

Oberer Rand

Grünspecht; Kuckuck; Elster; Stadtwappen von Wallop, mit dem heraldischen 'Fluß'. 1208 wurde Matthew Wallop, dem Warden von Winchester, Land im Dorf verliehen. Eines der Bilder auf dem Taufbecken aus dem 15. Jh. zeigt das Familienbanner. Ein Zweig der Familie wurde zu den Earls von Portsmouth und besaß vier Jahrhunderte lang den größten Teil von Over Wallop; *grüner Kiebitz; Schleiereule*.

Mittelteil

Der Hintergrund oben zeigt bäuerliche Arbeiten mit *grasenden Schafen*, einem pflügenden *Traktor* und einem *Weizenfeld*.

Die St.Andrew Kirche und Nether Wallop

92

Das Haus in der oberen linken Ecke ist die *Blacksmith Farm*. Sie wurde im 18. Jh. aus Feuerstein und Ziegeln erbaut; 1852 kam noch ein Anbau hinzu. Das strohgedeckte Fachwerkhaus in der Mitte ist *South View*, dessen Lehm/Stroh-Wände von 1540 stammen. Das kleine Rechteck im Dach ist als Schmugglerfenster bekannt, da von dort die herannahenden Steuereinnehmer gesehen werden konnten. Daneben ist das *White Hart Inn*, eine Kutschstation aus dem frühen 18. Jh. Hier wurde Bier gebraut, und in den Kellern finden sich noch Spuren der Fässer.

Am 16. Februar 1982 brannte das Dach nieder. Selbst in dem Feuersturm verließen ein oder zwei Stammkunden die Bar nur widerwillig!

Links ist das *Forresters*, ein Queen Anne-Haus, in dem die Clarkes, eine Familie von Baumeistern, seit Generationen leben. Die Gebäude auf der anderen Seite des Kriegsdenkmals sind die *Church Farm-Scheune und -Haus*, wo die Familie Shadwell lebte. Die Scheune aus dem 18. Jh. hat Holzwände und ein strohgedecktes Dach und ist heute noch in Gebrauch. Davor sind drei *Guernsey-Kühe* aus der familieneigenen Herde, die zweimal täglich den 200m-Weg zwischen Grasen und Gemolkenwerden

zurücklegt. Bis 1992 verkaufte die Familie Milch von Tür zu Tür. Ein Teil des Weizens, der auf den 40 Hektar der Shadwells wächst, ist fürs Dachdecken bestimmt.

Das *Kriegsdenkmal in Form eines Kreuzes* in der Bildmitte erinnert an die 19 Dörfler, die im Krieg fielen, und wurde im Oktober 1919 enthüllt. Die Veteranen des Segelflieger-Regiments besuchen regelmäßig die Gedenkgottesdienste. Links unten ist *King's Farm*. Das frühgeorgianische Haus am Fuß der Orange Lane ist aus Stein und Fachwerk und trägt als Datum 1738. Die Orange Lane trägt ihren Namen, weil die Legende sagt, daß Wallop einst die Ehre hatte, William von Orange und seine Armee zu beherbergen, als er von Brixham nach London zog. Historische Nachforschungen ergaben jedoch, daß der Zug ein ganzes Stück westlich des Dorfes vorbeimarschierte. Trotzdem könnte er sich auf das Dorf ausgewirkt haben.

In der unteren Mitte ist *St. Peter's Church Hall*. 1853 für £255 erbaut, diente sie bis 1895 als Kirchenschule; dann wurde die Bezirksschule eröffnet.

Die *St. Peterskirche* ist unten rechts zu sehen. 1866 wurde sie unter der Leitung von J.L. Pearson, dem Architekten der Kathedrale

von Truro, gründlich restauriert. Der oktogonale Taufstein aus dem 15. Jh. und das Becken aus dem 13. Jh. blieben jedoch erhalten. Der Glockenturm faßt fünf Glocken, von denen die älteste 1631 gegossen wurde.

Unterer Rand

Hier wird die Darstellung der *Wildblumen* aus Nether Wallop fortgesetzt, mit einer *Seejungfer*.

Der Bach Wallop

Stockbridge
Longstock
Leckford

STOCKBRIDGE, LONGSTOCK und LECKFORD

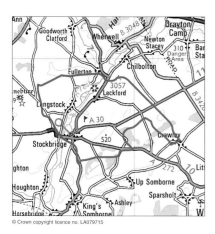

© Crown copyright licence no. LA079715

Die Entscheidung, eine Karte des Boroughs aufzunehmen, wurde während der Diskussionen gefällt, womit der Platz neben dem Bild aus Stockbridge, Longstock und Leckford gefüllt werden sollte.

Der Vers aus Alfred Lord Tennysons 'The Brook' wurde im Juli 1990 von Lord Denning bei der ersten öffentlichen Ausstellung des Teppichs im Andover-Museum zitiert.

STOCKBRIDGE

Stockbridge liegt ziemlich genau in der Mitte eines Damms aus komprimiertem Kalk zwischen Andover im Norden und Romsey im Süden, der in grauer Vorzeit zur Überquerung des Test angelegt wurde. In Stockbridge hat es mindestens seit dem zweiten Jahrtausend v.Chr. Siedlungen gegeben, und nicht weit entfernt sind die eindrucksvollen Erdwerke von Danebury, Meon Hill und Woolbury. Zwei antike Straßen treffen sich bei Stockbridge; die eine führt in Ost-West Richtung von Winchester nach Old Sarum (später Salisbury), die andere von Norden nach Süden durch das Testtal. Der Wohlstand von Stockbridge rührt seit jeher von den Straßen, die es durchqueren.

Das 'Dorf' (das tatsächlich aus nicht mehr als einer einzigen Reihe von Gebäuden entlang der breiten Hauptstraße besteht) wuchs an Bedeutung, als die walisischen Viehtreiber auf ihrem Weg zu den Märkten hier Pause einzulegen begannen. Auf der Wand eines rietgedeckten Cottages steht auf walisisch: 'Gelagertes Heu, schmackhafte Wiesen, gutes Bier, gemütliche Betten'.

Oberer Rand

Ein Torfspaten. Jahrhundertelang wurde im Testtal Torf gestochen, besonders in Longstock und Stockbridge. Die Überlieferung besagt, daß die Bauern ihren Knechten einen Tag im Jahr zum Torfstechen freigaben und ihnen einen Karren überließen, mit dem sie den Torf nach Hause bringen konnten; ein *dänisches Schiff*: es erinnert an die Zeit, als der Test noch schiffbar war. Von den dänischen Invasoren wird erzählt, sie hätten für ihre flachkieligen Boote einen breiten Kanal durch die Wasserwiesen von Longstock gegraben. Der Kanal war etwa 100m lang, und die ausgehobenen Erde wurde zu einem primitiven Kai aufgeschüttet. Das ‚Dock‘ diente wahrscheinlich als Basis für weitere Erkundungstouren und die Versendung erbeuteter Güter; eine *Aalreuse; Angelfliegen; Forelle und Netz*: der Test, der ‘König der Kalkströme’, leistet den Anglern gute Dienste. Viele sagen, er sei der beste Forellenstrom der Welt. Die künstlichen Fliegen sind typisch für die äußerst realistischen und interessant benannten Schöpfungen, die so liebevoll von enthusiastischen Anglern benutzt werden.

Das *silberne Szepter von Stockbridge* ist Teil der Insignien alter Höflinge und Barone: Die Gerichte sind Überbleibsel eines mittelalterlichen Systems, lokale Dispute beizulegen, öffentliche Weiden und Gräben zu pflegen und kleine Vergehen zu ahnden. Der Lord des Manor saß den jährlichen Gerichten vor, als Beamte waren ein Gerichtsdiener, ein Polizist (heute Sergeant-at-Mace genannt) und Hayward anwesend. Von 1563 bis 1832 hatte Stockbridge das Recht, zwei Parlamentsmitglieder zu stellen. Der Gerichtsdiener organisierte das Stimmsystem, das oft sehr korrupt war. Sowohl das Szepter als auch das Siegel, die der Gemeinde geschenkt wurden, sind Beweise für solche Korruption. Das Szepter kam 1681 von Essex Strode und trug die Wappen des Souveräns und des Schenkers mit der lateinischen Inschrift ‘Hier bin ich, die Herrlichkeit von Stockbridge, ein Geschenk von Essex Strode.’ Trotz seiner Bestechung wurde Strode von einem Gegner besiegt, der bar zahlte. Stockbridge aber behielt das Szepter! Ab 1891 ruhte das Gericht für nahezu 30 Jahre, nachdem Hicks Lancashire das Manor verpfändet hatte, um Verluste auszugleichen, die ihm erwachsen waren, als die Bewohner von Stockbridge einen Fall vor das House of Lords brachten, in dem er gedacht hatte, sich den Gemeindehügel anzueignen.

Die Hauptstraße von Stockbridge

Stokes’ Autowerkstatt

Glücklicherweise wurden das Szepter, das Siegel und Haywards Bedienstete vom Verwalter zurückgehalten, der wußte, daß sie nicht Lancashire gehörten.

Sie wurden 1920 an Norman Hill ausgehändigt, einen Rechtsanwalt aus Liverpool, der pensioniert nach Stockbridge gezogen war. 1921 wiederbelebte er die Institution der Gerichte. Nach seinem Tod erbte seine Tochter, die Historikerin Prof. Rosalind Hill, das Manor, und im März 1994 gab es große Feiern in Stockbridge, um ihr 50. Jubiläum als frühere Lady des Manor zu begehen. Der Adelstitel gehört heute dem National Trust.

Mittelteil

Links oben ist die *Pfarrkirche St. Nicholas, Leckford* und der Kirchhofseingang. Die Kirche mit ihren Feuersteinmauern und dem kleinen, schindelgedeckten Glockenturm stammt aus dem 15. Jh., aber der Altarraum wurde im frühen 16. Jh. erneuert, ohne ihn an die Ausrichtung des Schiffs anzugleichen; wahrscheinlich um Raum für Prozessionen zwischen Kirche und Kirchhofsgrenze zu schaffen. Ein großer Teil des Dorfes gehört der John Lewis Partnership, deren Wassergärten bei Longstock spektakulär und

für die Öffentlichkeit an einem Sonntag in jedem Sommermonat einsehbar sind. Unter der Kirche ist das *Peat Spade Public House* und die St. Mary Pfarrkirche in Longstock mit dem Kirchhoftor. Die Kirche ist verhältnismäßig neu (1876/1880) aber im Stil des 13. Jhs. gehalten. Im Turm hängen 5 Glocken.

Vor der Kirche ist ein Beispiel für *strohgedeckte Fischerhütten*, die entlang dieses Flußabschnitts stehen. Auf der anderen Seite ist ein Angler, der anscheinend etwas gefangen hat.

Rechts oben ist der *Altarraum der alten St. Peterskapelle* aus dem 12. Jh. 1866 wurde der größte Teil der Kapelle abgerissen, der Rest verfiel langsam. 1963 wurde sie jedoch neu geweiht und seitdem gründlich renoviert. Darunter ist die *Pfarrkirche St. Peter*, die in den 1860ern erbaut wurde.

Links der Peterskirche ist die *Stadthalle*, die 1810 von John Foster Barham auf eigene Kosten erbaut wurde. Barham war lange Jahre der Repräsentant des Boroughs im Parlament. Um 1820 gehörten ihm mindestens 80 Häuser in Stockbridge, aber nach einem finanziellen Rückschlag 1822 verkaufte er 72 Häuser an seinen politischen

Gegner, Lord Grosvenor. Beachten Sie die *zwei roten Telefonzellen* bei der Stadthalle! Als die Tafel gestickt wurde, dachte man, ihre Tage seien gezählt, aber sie stehen heute noch da!

Der Name Lord Grosvenors ist durch das *Grosvenor Hotel* verewigt, einem ansehnlichen Gebäude mit großer Terrasse und Oberzimmer, das von schlanken Säulen getragen wird. Die alte Markthalle ist in das Hotelgebäude eingefügt. Das Zimmer über der Terasse ist das private Sanktum des Angelvereins Houghton, des bestangesehenen Klubs für Trockenfliegen-Angler, 1822 gegründet. Die Mitgliederzahl ist auf 17 beschränkt, und jeder gefangene Fisch wird mitsamt der benutzten Fliege verzeichnet.

Auf dem Horizont über der Stadthalle sieht man gerade noch *Rennpferde*. Jahrzehntelang wurden auf einem Rennplatz unterhalb von Danebury Rennen veranstaltet; heute ist noch die Tribüne zu sehen. Als König Edward VII noch Prince of Wales war, war er ein regelmäßiger Besucher, der die Knaben erfreute, indem er Pennies aus seiner Kutsche warf.

Aalreusen bei Longstock

Das Dorf Longstock

Unterer Rand

Die Flora und Fauna des Test Valley: *Kühe; Libellen; Enten*; eine *Forelle*; ein wahrhaft schöner *Hahn*.

Houghton
Bossington
Broughton

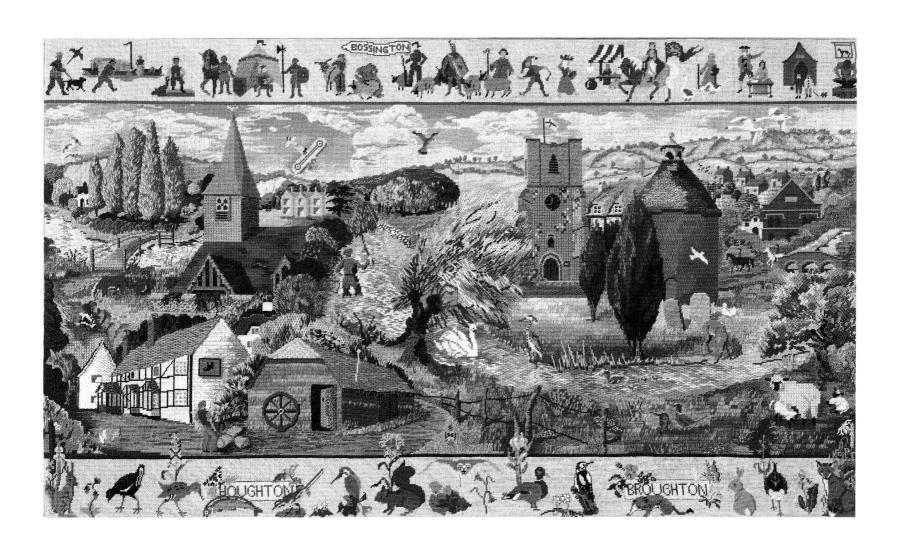

HOUGHTON, BOSSINGTON und BROUGHTON

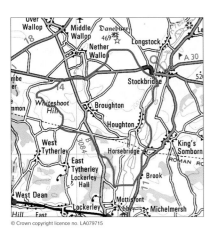

© Crown copyright licence no. LA079715

Houghton leiht seinen Namen dem exklusiven Angelverein, dessen Sitz zwar in Stockbridge ist, dessen Revier sich aber auch nach Houghton erstreckt. Broughton mit seinen vielen gezimmerten und blumengeschmückten, strohgedeckten Cottages liegt zwei Meilen weiter am Wallop Brook und ist eines der größten Dörfer des Test Valley. Dazwischen liegt Bossington House, dessen Besitzer das umgebende Dörfchen 1829 zerstörte.

HOUGHTON UND BOSSINGTON

Oberer Rand

Ein *Förster und sein Hund* stehen für die örtliche Jagd; ein *Boot* beladen mit lokal geschnittenem Kalkstein, der über den Redbridge zum Andover-Kanal gebracht wird (1783 wurde bei Bossington während Ausbaggerungsarbeiten Mendip-Blei mit dem Namen Kaiser Neros, datiert auf 59 n.Chr., entdeckt); Die *Armee Heinrichs V*, die unter dem Earl von Huntingdon bei Bossington lagerte, bevor sie nach Frankreich übersetzte und 1415 die Schlacht von Agincourt schlug. Heinrich soll die Kirche von Bossington besucht haben, und ein Feld heißt noch heute Agincourt; ein *Wollhändler*, der seinen Muli belädt, und ein *Schafscherer*. Auf dem Weg zu den Schafmärkten in Stockbridge und Weyhill wurden die Schafe durch Houghton getrieben; ein *Soldat* repräsentiert die Veteranen beider Weltkriege; ein *römischer Zenturio*. Die Römerstraße von Winchester nach Sarum verlief in der Nähe.

Der Fluß bei Bossington

Mittelteil

In der Mitte steht Houghtons *All Saints-Kirche* aus dem 12. Jh. Ungewöhnlicherweise gibt es im Südschiff drei Arkaden, im Nordschiff jedoch nur 2. Auf einigen Säulen sieht man Kreuze, die von Pilgern zum Schrein des hl. Swithun in Winchester hier eingeritzt wurden. Links der Kirche spannt sich die *Schafsbrücke* über den Fluß, daneben sieht man Pappeln und Teil des *Houghton Lodge*, das um 1800 am Fluß erbaut wurde und heute wegen seiner phantastischen Narzissenbeete berühmt ist. Über dem Kirchendach sieht man *Bossington House* mit einer Zeder, das Heim John Faireys, dessen Familie durch die Luftfahrt bekannt wurde. Er fliegt mit seinem *Fairey Flycatcher* über das Haus. Unter der Brücke grasen *Herefordrinder*, und in der Nähe zeigt sich ein *Dachs*. Im Vordergrund links steht das *Boot Inn*; dahinter sieht man *Wayside Cottages*, die ursprünglich für die im Inn beschäftigten Knechte gebaut wurden. Rechts ist die bekannte *Stellmacher-Werkstatt*, und davor macht sich ein *Dachdecker* mit seinen Strohbündeln an die Arbeit. Ein *Angler* watet im Fluß, während ein *Schwan* elegant an der *Weide* vorbeirauscht. Oben schwebt ein *Turmfalke*, und über dem Houghton Lodge fliegen *Stockenten*.

Unterer Rand

Für die Flora und Fauna des Flusses stehen *Schilf, Mimulus, Geum, Teichhuhn* und *Gelber Balsam*; ebenso die *Forelle, Bachstelze, Eisvogel, Sumpffringelblume, Spitzmaus* und *Schleiereule*. In der Umgebung finden sich außerdem *Hase, Bärenspinner, wilde Erdbeeren, Winde, rotes Eichhorn, Schmetterling, Weideröschen* und *Rotkehlchen*.

John Fairey mit einem Nachbau des Fairey Flycatcher

Die Kirche von Bossington

BROUGHTON

Oberer Rand

Rechts des Zenturios steht der Schäfer für den alten Schäferweg, der zu den Märkten in Stockbridge und Weyhill führte und auch durch Broughton lief. Der *Jongleur*, das *Mädchen mit Feldfrüchten*, der *Verkaufsstand*, der *König* und die *Gänsemagd* stehen alle für den Wochenmarkt beim Manor von Broughton und den Jahrmarkt bei St. Maria Magdalena, die Heinrich III dem Dorf 1248 gewährte. Die nächsten beiden Menschen sind *William Steele und seine Tochter Anne*. William Steele wurde 1699 zum Baptisten-Pastor geweiht. Anne schrieb 144 Hymnen, 34 Psalmen und etwa 50 Gedichte; *zwei Jungen* stehen vor der Schule, die 1601 von Thomas Dowse, dem Lord des Manor, gestiftet wurde. Ein Lehrer unterrichtete die Kinder im Lesen, Schreiben und Rechnen. Noch heute wird die Stiftung vom Pfarrer und einem Beirat verwaltet; ein *Dorfschmied*. Einst gab es sechs Schmiede in Broughton; über ihm ist das *Zeichen des Greyhound*, das heute von einem der Pubs benützt wird und ursprünglich Teil des Wappens von Thomas Dowse war.

Mittelteil

In der Mitte ist der *Taubenschlag* oder Columbarium, auf dem Friedhof der Kirche. Das heutige Gebäude wurde 1684 auf dem Gelände eines 1340 errichteten gebaut. In den Mauern sind 482 L-förmige Nistkästen. Der älteste Teil der *St.Maria Magdalena-Pfarrkirche* stammt aus dem 12. Jh. Um 1220 wurde das Hauptschiff verlängert und die Westtür gebaut, der Turm kam erst im 15. Jh. hinzu. Im Kirchhof stehen alte *irische Eiben*. Die Kirchenuhr steht auf acht Uhr, um daran zu erinnern, daß die Glocken bis 1963 zwischen dem St.Michaelstag und Mariä Verkündigung täglich um acht die Menschen erinnerten, die Feuer zu löschen, um das Risiko für die Strohdächer zu minimieren.

In der Mitte rechts ist die *Baptistenkapelle* von 1816, vor der ein Stein daran erinnert, daß der Baptistenglaube 1655 in Broughton begründet wurde. Die Kirchenbänke wurden aus Balken der HMS 'The Royal George' hergestellt. Die *Häuser* zwischen der baptistischen Kirche und dem Taubenschlag sind moderne Wohnhäuser. Das Haus zwischen Taubenschlag und Pfarrkirche steht für die vielen rietgedeckten Cottages. Im Hintergrund sind die *Hügel von Broughton*, mit einem Kalkweg, der auf den Whiteshoot

Der Taubenschlag von Broughton

Hill rechts führt. Darunter sind *Heufelder*, Weizen und grasendes Vieh und Pferde, alles Teil der dörflichen Agrarwirtschaft. Oben, rechts über der Baptistenkirche, kann man gerade den öffentlichen Dorfbus sehen, der mit freiwilligen Fahrern eine regelmäßige Verbindung zwischen Romsey, Salisbury, Winchester und Southampton aufrecht erhält.

Rehe, Reiher, Wildenten, Schwäne und *Weiden* kann man alle beim Wallop Brook sehen, der durch das Dorf fließt und bei Bossington in den Test mündet. Die beiden *Reiter* bei der Brücke und die *Fasane* stehen für den Sport; die *Schafe* in der Ecke dagegen verweisen einmal mehr auf die Agrikultur in Broughton.

Unterer Rand

Die fliegende *Schleiereule* (gehört auch mit zu Houghton), *Stockente, Iris* und *Hahnenfuß* findet man im Wallop Brook und den angrenzenden Feuchtwiesen. *Glockenblume, Specht, Wiesel, Hundsrose, Hase, Kiebitz* und *Fuchs* leben in der Umgebung. Der *silbergrüne Bläuling* auf der *Wicke*, die *Orchidee* und die *Schlüsselblume* finden sich in den Broughton Hügeln, während *matricaria inodora* und *Mohnblume* auf den Feldern zuhause sind.

Blick über Broughton und den Wallop Brook

King's Somborne
Little Somborne
Up Somborne
Ashley

KING'S SOMBORNE, LITTLE SOMBORNE, UP SOMBORNE und ASHLEY

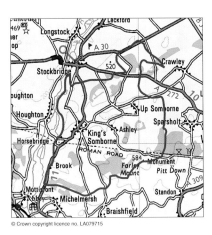

© Crown copyright licence no. LA079715

Die 'Sombornes' bestehen aus dem verstreuten Dorf King's Somborne, dessen Zentrum pittoresk um die Pfarrkirche und den Dorfanger gelegen ist, Little Somborne, Up Somborne, Ashley und Eldon. Little Somborne hat eine kleine, aber charmante Kirche sächsischen Ursprungs, deren Gemeinde zwar anderweitig versorgt ist, die aber trotzdem in den Siebzigern restauriert wurde und heute für zwei Messen im Jahr genutzt wird. 5km weiter liegt Up Somborne, ein Häuserband mitten im Nutzland. Ashley, das 'Tor' zum Farley Mount, hat eine ähnlich überflüssige Kirche, in der aber ebenfalls ab und zu noch Gottesdienste gefeiert werden. Dann kommt Eldon, einst die kleinste Gemeinde Englands, deren frühere Kirche auf dem Rasen vor einem Bauernhof steht. Somborne und Ashley sind sicherlich einzigartig darin, daß sie drei renovierte, aber nicht mehr gebrauchte Kirchen in ihren Grenzen beherbergen.

Durch das Dorf fließt der Somborne, ein Bach, der hinter Up Somborne entspringt, Richtung Rack and Manger Pub an der A272, und bei Horsebridge in den Test fließt. Normalerweise ist er ein wohlerzogener, moderater Strom, aber 1994 schwoll er gefährlich an, was sich 1995 in

noch schlimmerem Maß wiederholte, so daß einige Cottages evakuiert werden mußten.

Archäologische Grabungen, die in den 80er Jahren im Kirchhof, auf der Old Palace Farm und dem Schulgelände durchgeführt wurden, lieferten Hinweise auf eine wichtige sächsische Siedlung. Zur Domesday-Zeit war Somborne Teil des königlichen Grundbesitzes.

Johannes von Gaunt, der vierte Sohn König Edwards III, erbte das Manor von seiner ersten Frau Blanche, der Tochter des ersten Duke von Lancaster. Ihr Sohn, Heinrich von Bolingbroke, wurde 1399 als König Heinrich IV gekrönt. Die Grenzen des Wildgeheges von Johannes von Gaunt können noch zwischen dem Dorf und dem Test ausgemacht werden, aber es gibt kaum Hinweise für die romantische Vorstellung, daß er längerer Zeit hier residiert oder in seinem Park gejagt habe.

Das Dorf wurde durch den Vikar Revd. Richard Dawes bekannt, den späteren Dean von Hereford, der 1842 die Dorfschule gründete, die wegen seiner visionären Erziehungsphilosophie weithin als Vorbild angesehen wurde.

Oberer Rand

Ein *Kreuzfahrer* mit Schild und Banner, das *Wappen der Familie Hervey-Bathurst* aus Somborne-Park.; eine *Burg,* um 1100 bei Ashley erbaut, dann Teil des königlichen Waldes von Bere; ein *römischer Zenturio*: die Römerstraße von Winchester nach Old Sarum verlief durch das Dorf; das *Denkmal* von Farley Mount, das eigentlich einige Meter außerhalb der Grenzen des Test Valley Borough steht und auf einem bronzezeitlichen Begräbnishügel zur Erinnerung an ein Pferd errichtet wurde. Das Pferd, später als 'Beware Chalk Pit' – ('Vorsicht vor der Kalkgrube') bekannt, überlebte mitsamt seinem Reiter einen Sturz in eine 8m tiefe Kalkgrube. Im Jahr danach, 1734, gewann es gar den Hunters Cup bei Worthy Down. Es ist unter dem Denkmal begraben. Am 21. September 1944 wurde während der 'Battle of Britain' eine deutsche *Junkers 88* über dem Dorf von einer Spitfire abgeschossen, wobei die vierköpfige Besatzung umkam. 1951 wurde für sie etwas außerhalb der Kreisgrenze bei Hoplands ein Gedenkstein errichtet, der das Datum fälschlich als den 23. September angibt. Die *Bronzeplatten* (ca. 1380) in der Kirche werden traditionell für die von Johannes von Gaunts Verwaltern gehalten, Vater und Sohn; der

Revd. Richard Dawes, Vikar 1836-1850, der die Dorfschule gründete; Johannes von Gaunts *Bogenzielscheiben*; *Lokale Organisationen* einschließlich uniformierter Gruppen und WI; die '*Sprat and Winkle*'-Strecke, die 1865 eröffnete und entlang des Kanals von Southampton nach Andover verlief. Somborne wurde durch den Bahnhof von Horsebridge bedient, aber im September 1964 wurde die Strecke stillgelegt. Johannes von Gaunt, 1340 als dritter Sohn König Edwards III geboren; das *Wappen Sir Thomas Sopwiths*, des Flugpioniers, der länger als 40 Jahre im Compton Manor lebte und 1989 dort im Alter von 101 Jahren starb; eine *Sopwith Camel* aus dem Ersten Weltkrieg mit Sopwiths *Jacht 'Endeavour'*, mit der er am America's Cup beteiligt war.

Mittelteil

Der Großzügigkeit Herbert Johnsons von Marsh Court ist das elegante, von Lutyens entworfene *Kriegsdenkmal* in der Bildmitte zu verdanken. Dahinter ist die *Pfarrkirche St. Peter und Paul*, die größtenteils das Resultat einer großen viktorianischen Restauration von 1885 ist. Nur ein Teil der südlichen Arkaden des Schiffes stammt noch von 1240. Der Taufstein ist allerdings normannisch und

Die Kirche von Little Somborne

damit das einzige Relikt der früheren Kirche. Im Juni 1996 wurde ein Bleiglasfenster zum Gedächtnis Sir Thomas Sopwiths eingesetzt. Eine Inschrift sagt: 'Zum Gedenken an Sir Thomas Sopwith 1888-1989. Zweimal diente seine Voraussicht seinem Land in Zeiten der Gefahr'.

Rechts der Kirche ist Revd. Dawes' *Schule* von 1842. Seine Ideen waren seiner Zeit in gewisser Hinsicht um ein Jahrhundert voraus, sowohl was die Erziehung, als auch was das Soziologische betrifft. Die Schule erlangte schnell nationale Anerkennung, und man ermutigte Dawes zu extensiven Schriften. Seine Pamphlete hatten großen Einfluß auf erzieherische Ideen und Praxis des 19. Jhs.

Links der Kirche ist das strohgedeckte *Crown Inn* aus dem 18. Jh und daneben *das Crown Cottage* mit schönen Formschnittarbeiten. Über dem Kriegerdenkmal ist *Cruck Cottage* aus dem 15. Jh. Zwischen Cruck Cottage und dem Kirchturm ist ein *Rapsfeld*, das zur Zeit, als der Teppich gewirkt wurde, noch eine landwirtschaftliche Neuigkeit war.

Links unten ist *Marsh Court*. Dieses bemerkenswerte Haus wurde von Sir Edwin Lutyens für den Finanzier Herbert Johnson zwischen 1901 und 1904 aus Kalkstein

gebaut. Gertrude Jeckyll entwarf die Gärten. 1926 kam noch ein Ballsaal dazu, den ebenfalls Lutyens entwarf. Marsh Court beherbergte länger als 40 Jahre, bis 1989, eine sogenannte 'Prep School' und wurde dann 1993 von einem MP erworben, um nach tiefgreifenden Änderungen als Wohnhaus zu dienen. Über Marsh Court sieht man ein kleines Juwel, eine wiederhergestellte *sächsische Kirche* von Little Somborne und *Somborne Park*, Sitz der Hervey-Bathursts. 1974 wurde die Kirche für überflüssig erklärt und dann vom Redundant Churches Fund 1976-77, nachdem Archäologen jeden Teil der Struktur vermerkt hatten, völlig wiederhergestellt. Sir Thomas und Lady Sopwith sind im Kirchof begraben.

Das kleine Bauerndorf *Up Somborne* ist links oben im Bild. In einem Weizenfeld ist ein Mähdrescher am Werk, in einem anderen fährt ein Traktor. Rechts von Up Somborne ist *Ashley* mit der kleinen *Marienkirche*. Auch sie wurde 1976 geschlossen und erneuert. Die große *Eibe* wurde von einem Sturmwind entwurzelt. Der strohgedeckte *alte Brunnen*, der seit langem eine pittoreske Sehenswürdigkeit ist, wurde 1991 durch Brandstiftung beschädigt, aber 1993 durch eine lokale Initiative mit einem Schindeldach wiederhergestellt. Rechts der Kirche ist *Ashley Manor*. Der Teich vor dem Haus ist einer von mehreren, die der Ashley Wassergeflügel-Sammlung bedrohter Arten Schutz und Habitat bietet. Das *strohgedeckte Cottage* ist 'Little Thatches', das ebenfalls innere 'Cruck'-Balken hat. Am Horizont sieht man gerade noch das *Denkmal von Farley Mount*. Rechts von Ashley liegt *Hoplands*, ein Reiter-Areal. Darunter sind die Altenwohnheime von *Humber View*. Rechts oben sieht man das kleine Bauerndorf *Eldon*. Die kleine, redundante Kapelle befindet sich im Hofkomplex. Eldon ist bekannt für seine seltenen Zuchtschweine und seine Wurstproduktion.

Über *Compton Manor*, dem früheren Haus des verstorbenen Sir Thomas Sopwith, fliegt ein *roter Wessex-Hubschrauber* aus der königlichen Flotte, wie er von Prinz Charles benutzt wird, der mit anderen Mitgliedern der königlichen Familie oft die gute Jagd hier nutzt. Die *Kalkgruben* bei Brooks stechen aus der Landschaft hervor. Rechts unten ist die *Horsebridge Mill*, eine von drei Mühlen, die in der Domesday-Erhebung erfaßt wurden. Heute wird sie zur Herstellung wissenschaftlicher Instrumente genutzt. Hinter der Mühle ist ein Teil von *Johannes von Gaunts Hirschpark*.

Zwei lange Fußwege treffen sich im Dorf, nämlich der Test Way entlang der alten Eisenbahn, und der Clarendon Way von Winchester nach Salisbury. Die *Spaziergänger* unten links stehen für die vielen Wanderer, die durchs Dorf kommen. Auf der anderen Bildseite angelt *Mike Simms* im John-of-Gaunt-See, den er einrichtete. Zwei *Kinder* beobachten Schwäne, während Ian Wilsons *Bullterrier* Puckeridge geduldig wartet.

Unterer Rand

Immer seltener werdende *Schleiereulen*; *Schneeglöcken* und *Mohnblume*; *Schmetterlinge* einschließlich dem seltenen silbergrünen Bläuling; *Eisvogel* und *Reiher*; *Maiglöckchen*, *Fasane*; die *Namen der Gemeinden*; *Datum des Bildes* und *Frucht*; *Kuh und Bulle*; *Schlüsselblumen*; *Füchse*; der seltene *grüne Perlmutterfalter*; *Schaf*, *Schwein* und *Damwild*; seltene *Orchideen*.

Die Horsebridge Mühle

Der Bahnhof von Horsebridge

Mottisfont
Nursling und Rownhams
East Tytherley

MOTTISFONT, NURSLING und ROWNHAMS, und EAST TYTHERLEY

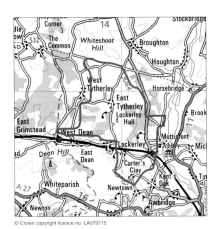

© Crown copyright licence no. LA079715

Die Mottisfont-Abtei

MOTTISFONT

Mottisfont wäre nicht so interessant, gäbe es nicht die großartige Abtei in den Feuchtwiesen am Test, um die herum der Ort gewachsen ist.

Oberer Rand

Die *Bären und ein ausgefranster Stab* in der Mitte stehen für das Familienwappen der Barker-Mills, die 1684 das Abteihaus erwarb. Angekettete Bären aus Stein stehen zu beiden Seiten des Tores; die *Kacheln auf beiden Seiten* stammen aus dem 13. Jh. und gehören zum Boden der Priorei. Sie wurden zwischen Abfall auf den nahen Feldern gefunden. Einige wurden im 18. Jh. für das Sommerhaus der Abtei verwendet.

Mittelteil

In der Mitte sieht man die *Abtei Mottisfont*, umgeben von einem wunderschönen Park mit riesigen Platanen, Zedern, Kastanien und Buchen. Mittendrin ist eine kristallklare Quelle, die pro Minute 900 Liter Wasser fördert und in den Test fließen läßt; daneben einer der beiden Eiskeller im Dorf.

Die Priorei der Heiligen Dreifaltigkeit wurde 1201 von William Briwere, einem Offizier Richards I, gegründet.

Bei der Auflösung wurde sie zurückgehalten, und 1536 von Heinrich VIII seinem Lord Chamberlain Lord Sandys im Austausch für die Dörfer Chelsea und Paddington übergeben! Er richtete es für den privaten Gebrauch ein; die wichtigsten Räume kamen ins Hauptschiff. Die 'neue' Fassade baute 1743 Sir Richard Mill.

Bis 1934 blieb die Abtei in Lord Sandys Familie, wenn es auch verschiedene Namenswechsel gab. 1934 wurde sie schließlich von Gilbert Russell gekauft, nach dessen Tod 1957 sie in den Besitz des National Trust überging.

Die Pfarrkirche St. Andreas datiert zum Teil aus dem 12. Jh., der Altarraum wurde jedoch 3 Jahrhunderte später erweitert. Er besitzt ein seltenes Uhrwerk aus dem 17. Jh.

Oben rechts ist die *Post*, unter deren Dach seit vielen Jahren auch das Dorfgeschäft untergebracht ist, das für seine Creme-Tees bekannt ist. Links oben ist das *Mill Inn* in Dunbridge, einst eine Kutschgaststätte. Der lange, weiße Anbau ist eine beliebte Kegelbahn.

Unter der Abtei ist ein wundervoller Abschnitt des Test mit der berühmten *Mottisfont-* oder *Oakley-Eiche* im Vordergrund, die wahrscheinlich älter als 1000 Jahre ist. Heute ist sie hohl, und öfters kalben Kühe darin.

Unterer Rand

Die *Rosen* auf beiden Seiten symbolisieren den Rosengarten, den Graham Stuart Thomas 1972 für die Sammlung historischer Rosen des National Trust anlegte. Er hatte die Rosen in seiner langen Karriere als Garten-Berater des National Trust gesammelt. Heute besteht die Sammlung aus mehr als 340 verschiedenen Sorten. Dazwischen findet sich Flora und Fauna aus der Umgebung des Dorfes: *Rehe, kanadische Gänse, Schwäne, Schlüsselblumen, Schmetterling* und eine *Schleiereule.*

NURSLING UND ROWNHAMS

Die uralte Siedlung Nursling, früher 'Nutshalling' (= 'Der Nußhain bei den Feuchtwiesen'), heute im Besitz eines Nachkriegs-Einkaufzentrums, Wohnblocks, Dorfsaal und Schule, wird von der Landstraße M27 geteilt, die aus dem viktorianischen Dorf Rownhams kommt.

Oberer Rand

In der Mitte ist St. Bonifatius, der bei seiner Geburt in Credition 680 n.Chr. noch 'Winfrith' hieß. Nach seinem Studium in der Benediktinerabtei in Exeter wurde er 717 Abt des Klosters von Nursling. Zwei Jahre später erhielt er als Bonifatius einen päpstlichen Missionsauftrag für die deutschen Lande. Er und 50 seiner Schüler wurden 754 von einem heidnischen Mob getötet; die beiden *Wappen* sind von der Familie Barker-Mills (links) und der Familie Mountbatten, die beide viel Land in der Region besaßen.

Mittelteil

Links sieht man die pseudo-gotische *St.Johannes Pfarrkirche* von Rownhams. Sie wurde 1856 für die neugeschaffene Gemeinde von Nursling und Chilworth gebaut.

Der Test bei Mottisfont

Die Gärten der Abtei Mottisfont

Rownham House (oben rechts) ist das letzte überlebende Beispiel vieler großer Mittelklasse-Residenzen, die in der zweiten Hälfte des 18. Jhs. für Geschäftsleute aus Southampton gebaut wurden. Darunter ist *Ivy Cottage*, eines der ältesten Häuser der Region, das wahrscheinlich aus dem 16. Jh. stammt. Zwischen dem Cottage und der Kirche ist die *Radioantenne*, die über einem unterirdischen Reservoir bei Toothill errichtet wurde. Die Linie unterhalb der Kirche und des Ivy Cottage steht für die M27.

Links ist der beliebte *Romsey-Golfplatz* abgebildet und links davon *Grove Place*, ein schönes elisabethanisches Haus, das zwischen 1565 und 1585 für John Paget gebaut wurde. Zwischendurch wurde es als Nervenklinik genutzt, und im Zweiten Weltkrieg diente es als amerikanisches Quartier. 1961 wurde es in ein Jungeninternat mit dem Namen Northcliffe School umgewandelt.

Rechts unten ist die *Bonifatiuskirche* von Nursling, eine Dorfkirche im Stil des 14. Jh. mit Hinweisen auf ein früheres, möglicherweise sächsisches Gebäude. Links davon steht die einzig erhaltene *Mühle* von Nursling. Eine Wandtafel verzeichnet, daß

sie 1728 um ein Gerüst von starken Buchenbalken gebaut wurde, die Sir Richard Mill gestiftet hatte. Dahinter ist einer der vielen Strommasten, die den Horizont prägen. Das *Schilfrohr* und die *Orchidee* sind Beispiele für Pflanzen in der 'Lower Test Reserve', die 1978 eingerichtet wurde.

Unterer Rand

Ein *Eichenast* symbolisiert die heilige Eiche der heidnischen Germanenstämme, die nach der Legende von Bonifatius gefällt wurde; ein *Lachs*; *Haselnüsse* sind eine Referenz an den Namen Nutshalling; ein *Grünspecht*, der einst häufig vorkam, nun aber seltener wird.

Nursling

East Tytherley

East Tytherley ist das kleinste Dorf im Test Valley und eines der kleinsten in Hampshire. Sein altenglischer Name legt nahe, daß es 'ein kleiner Ort mit Wasser und Weideland' war, eine Beschreibung, die heute noch paßt. Edward III verschenkte Tytherley 1335 an Königin Philippa, die dort mit ihrem Gefolge Schutz suchte, als in London die Pest wütete. Leider waren zwei ihrer Höflinge schon infiziert, und bald starben sie und Dreiviertel der Dorfbevölkerung mit ihnen.

Oberer Rand

Die *fünf Schmetterlinge* sind 'lokal vorkommende', aber leider starb die Stickerin dieses Bildes ohne Notizen oder Zeichnungen zu hinterlassen. Ein ortsansässiger Naturforscher konnte den ersten nicht identifizieren, der eine Motte zu sein scheint, aber schlug vor, daß die vier anderen möglicherweise ein Kleiner Fuchs, ein Schwalbenschwanz, ein Aurorafalter und ein Feuervögelchen sind.

Mittelteil

In der Mitte der 13. Jhs. ersetzte die *Pfarrkirche St. Peter* ein früheres Gebäude, und blieb bis 1863 nahezu unverändert, als die Terrasse, das Querschiff und die Sakristei hinzugefügt wurden. Dreißig Jahre später wurde der Turm gebaut. Die große *Eibe* wurde von Denys Rolle gepflanzt, dem Lord des Manors 1755.

Hinter der Kirche ist ein *Rapsfeld*. Neben der Kirche ist das attraktiv gezimmerte *Letterbox Cottage* mit seinem relativ seltenen viktorianischen Briefkasten. Darüber schwebt ein *Turmfalke*, einer der verschiedenen Raubvögel, die hier nisten. Das Manor wurde 1672 von Sir Francis Rolle erworben. *Rolle House*, unterhalb des Letterbox Cottage, wurde 1718 von Sarah Rolle als Wohltätigkeitsschule gegründet, eine der ersten in England, 'für vier arme Jungen und sechs arme Mädchen . . . daß sie ordentlich in blau gekleidet werden . . . und jeden Tag, den sie zur Schule kommen, einen Halbpenny-Laib Braunbrot und Käse für einen halben Penny haben . . .' Noch heute kommen Kinder in den Genuß dieser Stiftung. Rolle House ist mittlerweile eine Privatresidenz. Rechts ist der Stumpf eines Tulpenbaums, der 1987 durch einen Sturm gefällt wurde.

Unten links ist das *Star Inn* sehr schön dargestellt. Seit Menschengedenken war eines der beiden Dorfgeschäfte im Star untergebracht. Zwar sind heute beide Läden geschlossen, aber die Kegelbahn des Pubs ist ein beliebter Treffpunkt. Die *Schafe* im Park und die *Kühe* im Vordergrund symbolisieren die Agrarwirtschaft.

Unterer Rand

Der *Name des Dorfs* und eine süße kleine *Maus*.

Schafe im Park von Tytherley

**Michelmersh
Braishfield
Lockerley**

MICHELMERSH, BRAISHFIELD und LOCKERLEY

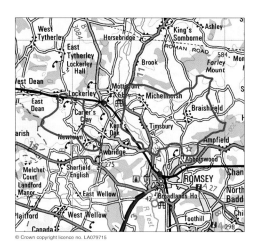

© Crown copyright licence no. LA079715

Die Kirche von Michelmersh

MICHELMERSH

Michelmersh ist ein ausgedehntes Dorf, das sich über die Höhen verteilt und auf der einen Seite der A3057 von Stockbridge nach Romsey Road zum Test hin abfällt. König Athelred gab dem Dorf 985 einen Freibrief, dessen Tausendjahrfeier 1985 enthusiastisch begangen wurde.

Oberer Rand

Königin Emma, die St.Swithun in Winchester 1043 mit dem Manor von Michelmarsh beschenkte. Auf dem Tisch neben ihr steht der Michelmersh Pot, ein spätsächsischer Krug, der in den späten siebziger Jahren unversehrt in einem kleinen Brennofen in einem Garten in Haccups Point entdeckt wurde. Der *Bogenschütze und der Ritter* knüpfen an die Tradition an, daß 1415 mehr als 600 Ritter und Schützen hier lagerten, bevor sie nach Frankreich übersetzten, um die Schlacht von Agincourt zu fechten. Das Feld trägt heute noch den Namen 'Agincourt Field'; der *Gentleman auf dem schwarzen Pferd* ist Sir William Ogle, der 1645 für den König das Schloß von Winchester gegen Cromwell verteidigte. Seiner zweiten Frau Sarah gehörte die Manor Farm in Michelmersh. Es geht die Legende, man könne des nachts

seine Kutsche in den Straßen hören; der *Wachsoldat* und der *Armeelaster* stehen für die Einheiten, die einschließlich kanadischer Streitkräfte vor der D-Day-Invasion der Normandie hier gelagert waren; die *Ziegel* werden hier noch heute aus Ton hergestellt.

Mittelteil

In der oberen Mitte ist die *Pfarrkirche*, die 'unserer Herrin' geweiht, aber als St.Maria bekannt ist. Sie stammt aus dem 13. Jh. und wurde wahrscheinlich auf einem sächsischen Fundament erbaut. Ihr ungewöhnlicher hölzerner Glockenturm wurde im 15. Jh. hinzugefügt. Eine der Gedenktafeln zeigt einen Kreuzritter mit übergeschlagenen Beinen, dem zu Füßen ein Hirsch ist. Eine andere zeigt Sir William Ogle. Links ist die *Scheune*, früher eine außergewöhnliche Vorratskammer mit fünf Erkern, die heute renoviert für Dorfaktivitäten genutzt wird. Ein Teil des Films 'Worzel Gummidge' wurde dort gedreht. *Die Felder* zeigen die ortsübliche Nutzung. Oben rechts ist das *Gericht von Michelmersh*, welches das Pfarrhaus war, als Michelmersh einer der reichsten Orte des Landes war. Heute wohnt dort Sir David Frost.

Das Gebäude links unter der Scheune ist *Old*

House, früher als 'Dower House' bekannt und Wohnsitz Sir David Ogles, dessen Geist dort spuken soll! Das gelbgeziegelte Haus ist das *Michelmersh House*, ursprünglich als 'Michelmersh Farm House' bekannt. Unter den *Schafen* ist die *Manor Farm*, die mit Königin Emmas Geschenk an Winchester in Zusammenhang gebracht wird und wahrscheinlich das älteste Gebäude im Ort ist.

Links in der Mitte, unter Old House, sind *Erdbeeren* bei der Yew Tree Farm, die schon lange ein beliebter Ort zum Selberpflücken ist. Die *Cottagereihe* rechts des Erdbeerfeldes sind Arbeiterwohnungen, die im letzten Jahrhundert errichtet wurden. Die meisten sind ausgebaut und modernisiert worden, wie auch das der Künstlerin dieser Tafel, Shirley Morrish. Das schöne Haus zur rechten ist die *alte Pfarrei*. Unter dem Erdbeerfeld ist eines der *Nachkriegshäuser*. Rechts der *roten Telefonzelle* ist die *alte Bäckerei*, wo die Dörfler ihren Kuchen buken. Unterhalb ist ein *kleiner Bungalow*, der typisch für den Stil der Dreissiger ist. Auf der anderen Seite ist die *Schmiede*, in der Les Ninnim noch immer den Schmiedehammer schwingt.

In der Mitte ist die *Michelmersh Brick Company*, Großbritanniens größter Hersteller hangemachter Ziegel und Dachziegel. Handwerker aus Michelmersh haben die reichlichen Tonvorkommen seit mindestens 1000 Jahren zur Ziegelproduktion genutzt. Ziegel aus Michelmersh werden im ganzen Land für neue und alte Häuser genutzt. In der unteren Ecke sieht man einen *Teil des Test*, der die westliche Grenze der Gemeinde bildet, und *Kühe*, die für die örtliche Milchproduktion stehen. Gegenüber ist das Gasthaus *Bear and Ragged Staff*. Das Ladenschild zeigt das Wappen des Earls von Warwick. Der erste Earl war als 'Bär' bekannt, weil er einen alleine erwürgte. Von einem anderen wird gesagt, er habe einen Riesen mit einer baumartigen Keule erschlagen, daher der Name 'Der Bär und die fransige Keule'. Einst wurde der Pub wegen seiner Hahnenkämpfe gefeiert, heute ist er für seinen jährlichen Kürbis-Wettbewerb bekannt. Vor dem Pub sieht man die *Michelmersh Silver Band*, die 1985 ihr 100jähriges Bestehen feierte. Ursprünglich war sie ein Abstinenzler-Orchester, und mindestens eine ortsansässige Familie ist seit der Gründung ununterbrochen durch mindestens ein Mitglied vertreten gewesen.

Unterer Rand

Eine *Weide*; zwei *Schwalben* und ein *Schwan* aus dem unteren Dorfteil; der *Dorfname*, von Blumen umgeben. Rechts ist eine *Schleiereule*, ein *Reh* und eine *Eiche* aus dem oberen Dorfteil.

Eine Hecke bei Timsbury

Die Ziegelwerke in Michelmersh

BRAISHFIELD

Braishfield, früher ein Teil von Michelmersh, wird im Domesday-Buch nicht erwähnt. Trotzdem finden sich in der Gemeinde Hinweise auf prähistorische Besiedlung und wahrscheinlich eine römische Villa. Das heutige, verstreute Dorf ist eine geschmackvolle Kombination von alt und neu.

Das Denkmal auf dem Farley Mount

Oberer Rand

Mesolithischer Mann. 1971 begann der Archäologe Michael O'Malley mit den Ausgrabungen am Broom Hill, wo er mehrere Sommer alleine auf dem einsamen Gipfel verbrachte. Er untersuchte, was damals als ein 'Rundhaus aus der Eisenzeit mit einer angelsächsischen Hütte' bezeichnet wurde, und fand mehr als 89.000 bearbeitet Feuersteine; der größte spätmesolithische Fund in Großbritannien. Eine unabhängige Grabung auf dem nahen *Fern Hill*, unternommen 1975-79 von der 'Lower Test Valley Archaeological Study Group' unter der Leitung von Kevin Stubbs, stieß auf die Relikte eines römischen Badehauses, das anscheinend im dritten oder vierten Jh. gebaut wurde; die *Eiche*, das Dorfsymbol, steht auf dem Schulhof; der *rotberockte Soldat*

und die Flaggen stehen für die Signalstation, die in der napoleonischen Zeit Teil einer Relaiskette war; in der Sakristei der Farley Chamberlayne Church hängt hoch im Gebälk ein *Leuchtfeuer*, das aus der Zeit Edwards III stammen könnte, als eine Signalfeuerkette durch das Land vor der spanischen Armada warnte.

Mittelteil

Das große Haus oben ist *Braishfield Manor*, das 1550 als Bauernhof errichtet wurde und unter dem Namen 'Pitt House' bekannt war. Es wurde 1760 vergrößert, und in diesem Jahrhundert wurden neue Flügel angebaut. In den 20er und 30er Jahren lebten Mrs Maude King, eine bekannte Pony-Züchterin, und ihr Mann Alfred im Manor. Mrs King war dem Dorf eine große Wohltäterin; sie schenkte der Schule einen neuen Schulhof und lud die Dorfkinder regelmäßig zu einer Weihnachtsfeier ein. In der anderen Ecke ist das *Denkmal auf Farley Mount*, das auch auf der Tafel aus King's Somborne zu sehen ist.

Unten rechts ist die *Allerheiligen-Pfarrkirche* aus roten Ziegeln, die 1855 erbaut wurde. Der Glockenturm und die Uhr wurden 1902 hinzugefügt, um der Krönung König Edwards VII zu gedenken. Links der

Pfarrkirche ist die *United Reformed Church*, die 1818 als Versammlungskapelle entstand und 1906 vergrößert wurde. Nach der Vereinigung der Congregational Church mit den Presbyterianern 1971 wurde sie zur United Reformed Church. In der Bildmitte ist das große *Kriegsdenkmal*.

Der *Dorfteich* zur rechten ist seitdem ausgebaggert worden und hat nun eine andere Uferführung. Den *Weidenbaum* gibt es nicht mehr, aber *Kinder* füttern regelmäßig die Enten und Moorhühner. Unter dem Teich ist die *Schule*, die 1876 vom Michelmersh School Board erbaut wurde, mit einem Anbau, ebenfalls im viktorianischen Stil, der nach einer äußerst beliebten Direktorin 'Elizabeth Sheppard-Flügel' benannt wurde. Auf dem Spielplatz spielen *Kinder* Netzball. Links unter der Vereinigten Reformierten Kirche ist eine *Vogelscheuche*, die daran erinnert, daß die Pucknell Farm in der Fernsehserie 'Worzel Gummidge' mit John Pertwee als 'Scatterbrook Farm' benutzt wurde.

Das Gasthaus ist das *Newport Inn*.

Links unten ist *Reginald Guy (Boxer) Old* mit seinem Dampftraktor *'Boxer's Beauty'* zu sehen, ein Dorforiginal. Boxer verbrachte sein ganzes Leben in der Landwirtschaft. In den Zeiten vor der Erfindung des Mähdreschers gingen Boxer und sein Vater Walter mit ihrem Dreschzeug von Hof zu Hof: Maschine, Dreschmaschine, Wasserkarren, Band und Wohnwagen. In späteren Jahren ging er mit seiner Beauty zu vielen Dampfrallies. Als er 1980 starb, wurde sein Sarg von Beauty auf einem Anhänger zur Kirche gebracht.

Unterer Rand

Repräsentative Flora: *Kuckucksnelke*, *Zeder* (in den Gärten der größeren Häuser gibt es mehrere); *Schlüsselblume*; *wilde Orchidee*; *Glockenblume* und *Fingerhut*.

Der Teich von Braishfield

Caravan der Roma

LOCKERLEY

Lockerley, ein verstreutes Dorf mit vier Grünflächen, liegt im Tal des Dun-Flusses, der bei Dunbridge mit dem Test zusammenfließt. Die Gegend wird schon den Reisenden auf dem Ridgeway bekannt gewesen sein, die der Strecke entlang Dean Hill und Tope Hill vor 5000 Jahren folgten. 1000 v. Chr. gab es bei Canefield bereits eine Siedlung, wo 1940 bronzezeitliches Gerät gefunden wurde.

Oberer Rand

In der Mitte ist das *Victoria Cross*, das am 26. August 1914 als eines der ersten im Krieg von Bombardier Fred Luke gewonnen wurde, der in Lockerley Green lebte und bei der 37. Battery Field Artillery bei Le Cateau diente, als die Batterie von den Deutschen überrannt wurde, und zwei Kanonen verloren gingen. Fred und zwei Kameraden gelang es unter heftigem Feuer, eine der Kanonen wieder an sich zu bringen, und allen dreien wurde das V.C. verliehen; auf beiden Seiten sind *Forellen*, die sich im Dun finden.

Mittelteil

Das Design orientiert sich an den vier Grünflächen. Links oben ist die höchste, das *Top Green*, das von *alten und modernen Häusern* umgeben ist. In der oberen Mitte ist *Dean Hill* und oben rechts *Holbury*, wo noch heute eine Mühle am Fluß steht. Die *Eisenbahnstrecke* von Salisbury durch Romsey nach Portsmouth läuft diagonal durch das Bild, Dunbridge hat einen betriebsamen Bahnhof. Links unter Top Green ist die *Post von Lockerley*, und das gelbe Gebäude rechts ist der *Dorfladen*. Beide spielen eine wichtige Rolle im kommunalen Dorfleben. Unter dem Geschäft sind die künstlichen *Lockerley Ponds*, die als kommerzielle Angelgründe angelegt wurden. Unter der *alten Mühle*, die heute eine Privatresidenz ist, fließt der *Fluß Dun*.

Rechts des Flusses ist die *Pfarrkirche des Evangelisten St.Johannes*. Kurze Zeit lang hatte Lockerley zwei Kirchen nebeneinander, als nämlich die heutige Kirche am 16. Oktober 1890 geweiht und die alte erst im folgenden Jahr abgerissen wurde. Steine im Boden markieren die genaue Lage der alten Kirche, und Narzissen zeigen den Mauerverlauf an. Die neue Kirche wurde von Frederick Dalgety

Die St. Johannes-Pfarrkirche in Lockerley

errichtet. Sie kostete zwischen 6000 und 7000 Pfund; für die Balken und den Altarraum wurde Holz aus neuseeländischen Wäldern verwendet, die im Besitz der Gutsherrnfamilie Dalgety waren.

Unter dem Weizenfeld links ist die *Schule* und daneben der *Dorfsaal*. Nach der Entstehung des Lockerley Hall-Anwesens in der Mitte des 18. Jhs wurde das dringende Bedürfnis nach einer Schule durch die Freigebigkeit Frederick Dalgetys und eines anderen Landbesitzers, Sir Francis Goldsmid, befriedigt. Die Schule wurde 1871 eröffnet und ist noch heute als Grundschule in Gebrauch. Auch der Dorfsaal aus der Zeit nach dem Ersten Weltkrieg war ein Geschenk der Familie Dalgety. Die Schule und der Saal blicken über *Butts Green* ('Schießscheiben-Wiese'), das so genannt wird, weil es zum Bogenschießen benutzt wird, allerdings auch zu Dorffesten, Sport und sozialen Zusammenkünften.

Critchells' Green liegt etwas abseits und ist verwilderter als die anderen Wiesen. *Critchells' Bauernhof* unten im Bild ist eines der ältesten Häuser im Dorf und wurde wohl im 16. Jh. erbaut.

Unterer Rand

Hier werden Vögel gezeigt, die typisch für den Fluß und die Region sind – *Schwäne*, *Teichhühner* und *kanadische Gänse*.

Die Holbury-Mühle in Lockerley

Awbridge
Sherfield English
Wellow

Awbridge

SHERFIELD ENGLISH

WELLOW

AWBRIDGE, SHERFIELD ENGLISH und WELLOW

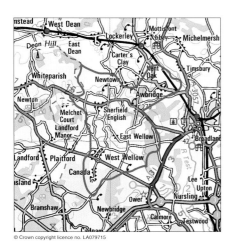

© Crown copyright licence no. LA079715

AWBRIDGE

Als Kirchengemeinde ist Awbridge ('Eybridsch' gesprochen) verhältnismäßig jung, da es erst in den 1870er Jahren aus den umliegenden Gemeinden herausgelöst wurde. Als Verwaltungseinheit ist es gar noch jünger: Bis 1984 war es ein Teil von Sherfield English. Der Name Awbridge kommt von 'Abedric', wie es im Domesday-Buch genannt wird. Bis zum 12. Jh. war 'Abrigg' oder 'Abbot's Ridge' daraus geworden.

Oberer Rand

Die Schule wurde 1877 von der Schulkonferenz eröffnet, und – wie alle solcher Schulen – bis in die 1950er von Schülern aller Altersstufen besucht. Dann erst wurde sie in eine Grundschule für 5-11jährige verwandelt. Heute bedient die Schule ein weiträumiges Gebiet und wird von Schülern aus Sherfield English, Michelmersh, Timsbury, Newtown, Carters Clay und natürlich Awbridge selbst besucht. Gegenwärtig sind 150 Schüler eingeschrieben. Kürzlich gewann die Schule für die Anlage eines Ast-Gartens im Tudorstil einen Gartenpreis der Schulen von Hampshire; *All Saints*-Kirche: Bis 1885/86

Die Schule von Awbridge

die Kirche für 2800 Pfund im gotischen Stil erbaut wurde, mußten die Gemeindemitglieder zum Gottesdienst nach Michelmersh laufen. Der größere Teil der Kirchbaukosten wurde vom Rev. T.H. Tragett getragen. Es gibt nur eine Glocke. 1993 wurde eine Erweiterung gebaut.

Mittelteil

Awbridge ist eine Ansammlung lose miteinander verbundener Kleinstdörfer, deren Hauptbevölkerung um *Kents Oak* (die Kents-Eiche) versammelt ist, die das Bild dominiert. Dieser herrliche Baum ist wahrscheinlich mehrere Jahrhunderte alt. Die *Hügel* im Bild betonen die hügelige Landschaft und verweisen besonders auf Abbot's Ridge. Der *Traktor* links symbolisiert den landwirtschaftlichen Charakter des Ortes, während der seinen Schläger schwingende *Golfspieler* zur rechten auf den Dunwood Manor Golfplatz zwischen Awbridge und Sherfield English verweist. Der Golfplatz befindet sich in der Danes Road, deren Name an die unruhigen Zeiten der dänischen Besatzung erinnert. Just außerhalb der Gemeindegrenze steht ein Fort, das wahrscheinlich dänischer Herkunft ist.

Es gibt mehrere Forellenseen in der Gegend, aber der *See* hinter Kents Oak liegt bei Awbridge Danes. Er wurde in den 1920ern als Arbeitsbeschaffungsmaßnahme angelegt. Jeder Arbeiter erhielt dabei einen Shilling (5p) und einen Laib Brot am Tag.

Die *friesische Kuh und ihr Kalb* rechts der Eiche und die *Hühner* zur linken stehen für die lokale Milch- und Eierproduktion. Das eher ungewöhnliche, vierseitige *Gemeindebrett* wurde der neugebildeten Gemeinde 1984 von der ebenfalls neugegründeten Community Association gestiftet. Über dem Baum steigt ein *Heißluftballon* eines ortsansässigen Fans, Mr. Barker, in die Luft. Der Ballon, der auf dem Golfplatz startete, war ein vertrauter Anblick.

Unterer Rand

Rhododendren stehen für die vielen Büsche im Ort; *Pilze* von der Pilzfarm, die ein wichtiger Arbeitgeber für Teilzeitkräfte ist.

Awbridge

Rhododendren

SHERFIELD ENGLISH

Sherfield English liegt westlich von Romsey und berührt die Grenze zu Wiltshire. Es weist bereits viele der Charakteristika von New Forest und dessen Flora auf, mit seinen großen und alten Bäumen und dichterem Unterholz als im restlichen Test Valley.

Sherfield English ist ein kleiner Ort an der A27 von Romsey nach Salisbury, von welchem dem vorbeifahrenden Reisenden wenig mehr als die Kirche, das Hatchet Inn, der Dorfsaal, eine Autowerkstatt und ein paar Häuser ins Auge fallen. Viele seiner Cottages und einsamen Höfe befinden sich in engen, gewundenen Wegen. Zur Zeit des Domesday-Buchs war der Ortsname Sirefelle, was sich bis zum 16. Jh. in Shervill verwandelte. Der Beiname English kommt von der Familie l'Engleys. Ob die Familie jemals im Manor lebte, ist nicht bekannt, jedenfalls gehörte Gilbert l'Engleys bereits 1254 Land in der Nachbarschaft, und Richard l'Engleys wird in Dokumenten aus dem 14. Jh. erwähnt.

Oberer Rand

Wappen der Smith aus Ellingham.
Bartholomew Smith kaufte das Gut 1629 der Familie Tichborne ab, verpachtete es ihnen jedoch weiterhin. Das letzte Familienmitglied, das den Besitz hielt, war Henry Lockhard Smith, der ihn 1903 an Louisa Lady Ashburton verkaufte; *Wappen der l'Engleys*, von denen oben die Rede ist; *Wappen der Ringwoods.* 1428 erwarb Thomas Ringwood das Manor, das bis 1566 in der Familie blieb.

Mittelteil

Die Tafel wurde so ausgelegt, daß sie eine repräsentative Frühlingsszene zeigt, die von der *Kirche* ebenso dominiert wird, wie sie die Gemeinde dominiert. Die St. Leonard geweihte Kirche ist die dritte, die hier gebaut wurde. Die erste stand eine Viertelmeile nördlich, die zweite wurde 1858 von Rev. Hon F. Baring erbaut, aber 1902-3 bereits wieder abgerissen, da sie als einsturzgefährdet galt. Die heutige Kirche wurde dem Dorf 1903 von Lady Ashburton gestiftet, zum Gedächtnis ihres einzigen Kindes, Mary Florence, der Marquise von Northampton, die 1902 starb. Die hohe Kirche aus rotem Ziegel mit ihrem quadratischen Turm und den Strebepfeilern und Spitzen ist eine lokale Sehenswürdigkeit. Das Innere ist reich an Details und hat Art Nouveau-Glas in den Fenstern. Außerdem

Die Kirche von Sherfield English

Dunwood Manor Golf Club

verfügt die Kirche über ein eindrucksvolles Glockenspiel mit 8 Glocken. Unten links sieht man einen Teil des *alten Kirchhofs mit Mauer*. Rechts daneben ist der *Weg zur Kirche*, der durch *Narzissen- und Glockenblumenfelder* führt, mit Bäumen und typischen Wildblumen im Gras und auf dem Schotter.

Unterer Rand

Heckenfrüchte – *Brombeeren* und *Hagebutten*.

WELLOW

Wellow besteht aus zwei, einst durch den Blackwater-Fluß getrennten Gemeinden, nämlich East Wellow in Hampshire und West Wellow in Wiltshire. 1859 wurden die Verwaltungsgrenzen verschoben und beide Dörfer zu der Gemeinde Wellow in Hampshire vereinigt. Die Ursprünge lassen sich mindestens bis 825 zurückverfolgen, als König Alfred 'die Stadt Welewe' seiner ältesten Tochter Ethelgifu hinterließ. Im Domesday-Buch wurde 'Welue' als Besitz Agemunds geführt, der dort fünf 'Felle' von etwa 243 Hektar besaß. 1251 gab Heinrich III Wellow die Erlaubnis, eine jährliche Messe am St. Margarethen-Tag zu halten, wahrscheinlich in der Nähe der St.Margarethenkirche.

Die St.Margarethenkirche in East Wellow

Oberer Rand

Wappen der Guernays. Seit etwa 1240 war West Wellow, dann zu Wiltshire gehörig, im Besitz Robert de Guernays. Als er 1269 starb, ging das Manor an seinen Enkel John. 1296 wurde es unter dem Namen Wellow Gurnay auf John de Badenham eingetragen; *die Parish Council-Medaille*, die vom Gemeindevorsitzenden getragen wird. Sie wurde 1987 von einem örtlichen

Schmuckdesigner namens Lionel Pepper angefertigt und mit öffentlichen Geldern bezahlt; das *Wappen der Familie Berkeley*.

Wahrscheinlich kam das Manor 1330 durch John de Badenham in den Besitz von Thomas de Berkeley.

Mittelteil

Die *ländliche Szene* im oberen Bildteil steht für die landwirtschaftlichen Áktivitäten der Region. Der hellgelbe *Raps* wurde in den 80ern nicht nur durch Subventionen eine beliebte Anbaufrucht. Links ist die *Sounding Arch*-Brücke auffällig, die einen Kutschweg nach Embley Park führte, wo Florence Nightingales Familie lebte. Der Name Sounding Arch – 'tönende Brücke' – erklärt sich durch das Kindergeschrei, das Echo der Hufe und das Getöse der Landmaschinen, das von den tief eingeschnittenen Wänden reflektiert wurde. Die Brücke wurde durch ein Straßenerweiterungs-Programm eingerissen. In der Nähe der alten Brücken steht heute ein Sitz, der aus ihren Steinen zusammengesetzt ist. In der Vergangenheit wurden Geschichten von Geisterkutschen erzählt, die zur Weihnacht oder Silvester über die Brücke fuhren. Rechts der Brücke sind *Rhododendronbüsche* in der Ryedown Lane.

Links unten grasen *New Forest Ponies* zwischen Stechginster und Heidekraut auf der *Canada-Wiese*. Über den Ursprung dieses Namens gibt es einige Spekulation. Nach einer Theorie erinnerte die Gegend jemanden an Kanada.

Plausibler ist jedoch der Gedanke, daß dieser Teil von Wellow besiedelt war, als die Leute ermutigt wurden, ihr Glück in Kanada zu versuchen. Die Siedler konnten Land auf der Wiese in Anspruch nehmen, indem sie zwischen Morgengrauen und Abenddunkel eine Hütte errichteten, aus der bis Sonnenuntergang Rauch aufstieg; ein System, das scheinbar auch in Kanada Anwendung fand. Der Name Canada findet sich auch auf Karten vom Anfang dieses Jahrhunderts, was die Theorie ausschließt, der Name sei durch kanadische Soldaten gekommen, die hier während des Ersten Weltkriegs stationiert waren. In Wahrheit kennt niemand den Ursprung des Namens so genau. Die *Bäume* gehören zu den vielen, die in der Gemeinde wachsen.

Rechts fällt vor allem die *Kirche St.Margarethe von Antiochien* in East Wellow auf. Mit ihrem Bau wurde im Jahr der Magna Charta begonnen; vollendet wurde das Feuersteingebäude 1216. Die Tür ist voller

Die Canada-Wiese

Nagellöcher: Ratten und anderes Ungeziefer wurden dort angenagelt bis der Kirchendiener die fällige Belohnung zahlte.1891 wurden unter einer dicken weißen Farbschicht Reste von außerordentlichen Wandbildern gefunden, die wahrscheinlich aus dem Jahr 1270 stammen. An einer der Chorsäulen ist als Warnung vor leichtsinniger Benutzung von Handfeuerwaffen eine Muskete aufgehängt, die dort angebracht wurde, nachdem eine Magd versehentlich von einem Bediensteten erschossen worden war.

Die Kirche hat Besucher – besonders Krankenschwestern – aus aller Welt, die zum Grab von Florence Nightingale drängen, der berühmten Krim-Krankenschwester, die auch als 'Lady of the Lamp' bekannt ist. Unter den Mementos der Kirche befindet sich auch eine Lampe. Florence lebte mit ihren Eltern im Embley Park. Nachdem sie in der Park Lane in London gestorben war, wurden ihre Reste nach Wellow überführt und in der Familiengruft beigesetzt. Ihr *Gedenkstein* befindet sich im unteren Bildteil. Es ist ein einfaches, pyramidal geformtes Mal mit einer kurzen Inschrift unterm Kreuz: 'F.N. Geboren am 15. Mai 1820. Gestorben am 13. August 1910.' Dies entsprach genau ihren Wünschen. In ihren späteren Jahren unterzeichnete sie nur noch mit 'F.N.'

Der Gedenkstein von Florence Nightingale in East Wellow

Unterer Rand

Hagebutten und *Brombeeren*.

Romsey
Romsey Extra

ROMSEY und ROMSEY EXTRA

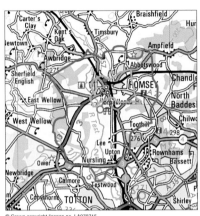

© Crown copyright licence no. LA079715

Blick über Romsey

Es gibt Hinweise auf die Existenz einer romano-britischen Siedlung in Romsey, die sich auf einer Schotter-Terrasse entwickelte, die von kleinen Flüssen und dem westlich vorbeifließenden Test umgeben ist. Das altenglische 'ey' bedeutet 'Insel' oder, wie hier 'erhöhtes Gebiet im Marschland'. Das 'Rum' stammt aus einem Personennamen. Der Flußübergang, heute Middlebridge genannt, konzentrierte Straßen aus Southampton, Salisbury, Stockbridge und Winchester auf sich.

Seinen Wohlstand verdankte Romsey jedoch der Abtei. Es scheint, als hätte es hier bereits im 8.Jh. eine religiöse Gemeinschaft gegeben, und im 10.Jh. lebte hier eine große Zahl von Nonnen, die in der Abtei beteten. Im Jahr 907 schenkte Edward der Ältere den Nonnen ein großes Stück Land und ermutigte die Edelsten und Reichsten im ganzen Land, der Gemeinschaft beizutreten. König Alfreds Enkelin Aethelflaeda wurde die erste Äbtissin. Romsey prosperierte durch all die Geschäfte, die das Kloster anzog, durch sein fruchtbares Land, das Baugewerbe, den Wochenmarkt und die zwei Verkaufsmessen im Jahr.

Auch der Test steuerte einen Teil zum Reichtum der Stadt bei, indem er den Bau von Mühlen ermöglichte. Zur Domesday-Zeit gab es in Romsey drei Mühlen, und weitere kamen hinzu – Papiermühlen, Getreidemühlen und Mühlen für die Leder- und Stoffproduktion. Der Fluß unterstützte auch andere Gewerbezweige wie z.B. das Gerben und Brauen. Wie seit 1000 Jahren steht die Abtei auch heute noch Wacht über die Stadt, aber viele erkennen Romsey wohl eher an den Straßenansichten aus der Fernsehserie 'Inspector Wexford' von Ruth Rendell, die hier gedreht wurde.

Die Gemeinde, welche die Stadt Romsey (oder Romsey Infra) umgibt, heißt Romsey Extra.

Oberer Rand

Wappen der Einzelpersonen und Familien,
die zu der Geschichte Romseys gehören:

1 – *St.Aethelflaeda*;

2 – *Pauncefoot*: Dieser Familie gehörte das
Manor, das von Anfang des 13. Jhs. bis
1521 ihren Namen trug;

3 – *Familie Ashley*. Anthony Evelyn
Melbourne Ashley erbte 1888 das Manor
von Romsey Infra von seinem Onkel, dem
Lord Mount Temple of Mount Temple
(Co Sligo);

4 – *St.Barbe* 1605 bis 1723: 1607 war König
James Gast bei Edward und Frances
St.Barbe. Er pflanzte dort einen
Maulbeerbaum und gab Romsey Infra
den Status eines Boroughs. In der Abtei
gibt es ein schönes Denkmal für die
Familie St.Barbe;

5 – *Portmann*: Das Manor von Pouncefoot
Hill wurde 1588 von Sir Henry Portmann
gekauft und blieb bis 1680 im Besitz
seiner Familie;

6 – das *Wappen von Romsey*;

7 – *Romsey* 1299-1537;

8 – *Palmerston*: Der erste Lord Palmerston
kaufte 1726 Broadlands, und als der dritte
Lord, der eminente Staatsmann, 1865
starb, ging es an seinen Stiefsohn William
Cowper Temple;

9 – *Fleming*: Die Familie erwarb 1679 das
Manor von Romsey Infra und besaß es bis
1736;

10 – *Sir William Petty*: Er wurde am 26. Mai
1623 in Romsey geboren und gelangte,
obwohl selbst von geringer Geburt, zu
Reichtum und Ehren und war ein
Gründungsmitglied der Royal Society.
Während er in Oxford Anatomie lehrte,
brachte man ihm die Leiche der
gehenkten Mörderin Anne Green, die er
für eine Dissektion gebrauchen wollte.
Als er jedoch bemerkte, daß sie noch
lebte, stellte er die arme Frau nach ihrer
Genesung zur Schau. Er starb im
Dezember 1687; in der Abtei Romsey
hängt ein im 19.Jh. angefertigtes Bildnis.

11 – Die von *Prinz Albert entworfene Medaille*,
die Königin Victoria 1855 an Florence
Nightingale verlieh, um ihren Dienst im
Krimkrieg zu würdigen.

Mittelteil

Wie auch die Stadt wird die Tafel von der
wunderschönen historischen *Abteikirche
St.Maria und St.Aethelflaeda* dominiert. Die
erste Kirche wurde hier 907 n.Chr. von
Edward dem Älteren erbaut. Die Abtei
entwickelte sich unter König Edgar nach der
benediktinischen Regel und wurde 1004 von

Details der Abtei Romsey

Statue von Lord Palmerston

den Dänen zerstört. Später wurde sie wieder aufgebaut. 1120 kam es zu einem zweiten Wiederaufbau, der erst nach 110 Jahren abgeschlossen wurde. Die heutige Kirche, die aus dieser Zeit stammt, zählt zweifellos zu den schönsten normannischen Gebäuden Europas. Von ihr wurde gesagt, sie sei 'Musik in Stein'.

Die Abtei war 1349 schwer vom Schwarzen Tod betroffen. Die meisten der Nonnen und ihrer Bediensteten starben, und obwohl die Abtei sich danach wieder zur Normalität zurückkämpfte, war sie niemehr dieselbe. Einige der späteren Äbtissinnen brachten sie in Verruf und verdienten sich einen schlechten Ruf durch Laxheit, Essen, Trinken, Klatsch und böse Wörter und dadurch, daß sie die Nächte in der Stadt verbrachten und morgens lange schliefen!

Romseys klösterliche Gemeinschaft wurde 1539 aufgelöst. Die südlichen Klostergebäude wurden abgerissen, aber die Kirche blieb, da die Stadt keine andere besaß. Die Abtei wurde 1544 für £100 an die Stadt verkauft. 1994 wurde das 450. Jubiläum dieses Ereignisses durch Konzerte, Ausstellungen und andere Programmpunkte gefeiert.

In der Abtei gibt es vielerlei von Interesse, einschließlich mittelalterlicher Wandgemälde, eines sächsischen Kruzifixes, Kacheln aus dem 14.Jh. und moderner Wandteppiche. Tausende besuchen heute die Abtei, um das Grab Lord Mountbattens zu sehen, der im nahen Broadlands zu Hause war.

Oben links ist *Broadlands* in seinem 162 Hektar großen Park, der südlich der Stadt auf beiden Seiten des Tests gelegen ist. Broadlands gehört eigentlich zur Gemeinde Romsey Extra. Seine außergewöhnlich schöne Lage am Fluß wird durch die Rasen und Bäume noch betont, und oben links sieht man eine der wunderschönen *Eichen*. Nach Auflösung der Klöster fiel es in die Hände der Familie St.Barbe und wurde dann 1736 von Henry Temple, dem ersten Lord Palmerston, erworben. Er vergrößerte das Haus und ließ das Anwesen von Capability Brown umgestalten, dessen Schwiegersohn Henry Holland die Innenarchitektur übernahm. Die beiden ersten Palmerstons waren Sammler und bereicherten das Haus mit Kunstwerken. Der dritte Lord Palmerston, der Premierminister wurde und für seine Kanonenbootdiplomatie bekannt ist, wurde 1784 in Palmerston geboren, das er 1801, erst 17jährig, erbte. Sein dienstliches Leben hielt ihn lange Zeit von seinem Heim in Hampshire fern, was er bedauerte. Später ging das Anwesen an Colonel Wilfred Ashley, der, als er geadelt wurde, wieder den Titel des Mount Temple annahm. Nach seinem Tod erbte es seine Tochter Edwina, die Lord Louis Mountbatten, den späteren Earl Mountbatten von Burma, heiratete. Lady Mountbatten tat in den 1950ern viel, um dem Haus wieder seine Eleganz des 18. Jhs. zu geben.

Die Queen und Prinz Philip verbrachten 1947 einen Teil ihrer Flitterwochen in Broadlands; ebenso 1981 Prinz Charles und Lady Diana Spencer. Kurz vor der Ermordung Lord Mountbattens durch die IRA 1979 wurde das Haus für die Öffentlichkeit zugänglich gemacht. Mountbattens Neffe und Prinz Charles führten die Zeremonie durch. Der älteste Enkel Lord Mountbattens, Lord Romsey, erbte das Anwesen und lebt heute dort.

Hinter Broadlands liegt *Green Hill* mit einer großartigen Aussicht auf die Abtei, die den Rest der Stadt zwergenhaft erscheinen läßt – ein beliebter Standort für Fotografen. Rechts ist *Saddlers Mill* mit der Brücke, wo man im Oktober die flußaufwärts schwimmenden

Lachse springen sehen kann. Um die Fische vor Verletzungen zu bewahren, werden extra Zäune aufgestellt und Dämmungen angebracht.

Auf der anderen Seite des Test ist die schöne *Statue Lord Palmerstons* von Matthew Noble, die in der Mitte des Townsquares steht. Rechts ist eine Reihe moderner Häuser mit Blick auf die Abteiwiese; zwischen ihnen und der Abtei ist das *King John's House* und das *Tudor Cottage*, das hinter der Church Street liegt. Eine beliebte Legende besagt, es sei von King John 1210 – fünf Jahre vor der Magna Charta – als Jagdhaus genutzt worden, aber für diese These gibt es keine Beweise. Ein Dokument Heinrichs III verzeichnet, daß er der Äbtissin von Romsey ein Jagdhaus, das sein Vater gebaut hatte, schenkte, aber eine Verbindung zu dem fraglichen Haus läßt sich nicht ausmachen. Als Edward I 1306 die Äbtissin besuchte, wohnten dort jedoch seine Gefolgsleute, und wir wissen, daß es zur Zeit des Schwarzen Todes als Isolierhospital genutzt wurde. Im Bürgerkrieg beherbergte das Haus Soldaten, und 1781 wurde es Romseys erstes Armenhaus.

Nach der Restaurierung ist der Komplex heute ein Teil des Jahres öffentlich

Broadlands

zugänglich, und 1995 wurde der Tudor Garten nach seiner Wiederherstellung ebenfalls geöffnet.

Im mittleren Vordergrund ist das *Linden House*, das, wie so viele andere Orte der Stadt, in der Fernsehserie um Inspector Wexford eine Rolle spielte.

Rechts der Abtei ist die *Stadthalle von Romsey*, ein Zweckbau, der 1860 südlich des Marktplatzes den Bedürfnissen der Corporation entsprechend errichtet wurde, und in dem heute der Stadtrat sitzt. Lord Palmerston half bei der Finanzierung des Projekts, das, weil es das Landgericht inkorporierte, auch eine Regierungssubvention erhielt. Lord Palmerston starb vor der Eröffnung 1866.

Unter der Stadthalle ist *Strongs Brauerei*, gegründet von David Faber, einem Mitglied der Bankiers- und Verlegerfamilie. Er kaufte die drei größten Brauereien der Stadt, die sich alle in einem schlechten Zustand befanden, und machte daraus unter dem Namen Strongs ein florierendes Geschäft. Zugreisende konnte auf Reklametafeln lesen 'Sie sind in Strong Country', und in der Stadt gab es Schilder, auf den zu lesen war: 'Das Herz von Strong Country'. In den

1960ern wurde Strongs ein Teil der Whitbread-Gruppe. 1980 wurde die Brauereischiene stillgelegt. Mittlerweile stehen auf dem Gelände Wohnhäuser und Büros.

Der Zug in der rechten Mitte steht für die Bahnlinien aus Eastleigh und Southampton, die sich in Romsey kreuzen. Über dem Zug ist die *Sounding Arch-Brücke*, die zu Wellow gehört und die einst zwei Teile des Embley-Anwesens miteinander verband. Hier symbolisiert sie nur die vielen Brücken von Romsey.

Die Bäume oben rechts stehen im weltberühmten *Sir Harold Hillier Arboretum* zwischen Ampfield und Braishfield. Hilliers wurde 1864 von Edwin Hillier gegründet, der als Gärtner ausgebildet war und in Winchester ein kleines Blumengeschäft mit Gewächshaus kaufte. Unter seinen Söhnen florierte das Geschäft, ebenso unter seinem Enkel Harold, der wie sein Vater und Großvater ein begeisterter Pflanzensammler war. Im Juni 1953, einen Tag nach der Krönung, zogen Harold und seine Frau ins Jermyns House und begannen mit dem Projekt, das sich zu einer international anerkannten Pflanzensammlung auswachsen sollte. Fünfundzwanzig Jahre später, 1978,

Manor Häuser aus dem 15./16. Jahrhundert in der Palmerston Street

wohnten Königin Elizabeth und die Königinmutter der Eröffnung des Arboretums bei und nahmen es im Namen des Hampshire County Councils entgegen. Sir Harold übergab dem County seine Sammlung, das sie in Zukunft als wohltätige Stiftung verwalten sollte. Nach seinem Tod 1985 übergab Lady Hillier Jermyns House ebenfalls dem County Council, so daß das Arboretum und die Gärten nun 60 Hektar umfassen. Das Arboretum ist öffentlich zugänglich; Führungen werden zu jeder Jahreszeit angeboten.

Unten rechts sieht man die kleine *St.Swithun-Kirche* in Crampmoor, die, 1858 erbaut, einer ländlichen Kommune als Schule und Kirche diente. Vor 1858 wurden gelegentlich in der Dame-Schule auf dem Halterworth Hill Gottesdienste gefeiert, öfter jedoch im 'großen Zimmer' des Hauses von Mrs James Feltham in New Pond. Der 'Junker' Fleming stiftete das Land für die Schule unter der Bedingung, daß dort jeden Sonntag eine Messe gelesen werden sollte. Wochentags wurde der Altarraum durch eine Holzwand abgetrennt. Das Lehrerhaus betrat man durch eine Tür in der Südmauer, wo heute das Pult steht. Am Wochenende wurden alle Schulrequisiten beiseite geräumt, der Raum ordentlich geschrubbt,

und die Holzwand entfernt, so daß alles für den Sonntagsgottesdienst bereit war. Nach dem Abendgottesdienst wurde alles rückgängig gemacht. 1927 wurde in der School Road hinter dem Hunters Inn eine neue Schule erbaut.

Über die Jahre wurden viele Verbesserungen vorgenommen, und noch heute ist St.Swithun, die eine Tochterkirche der Abtei von Romsey ist, ein beliebter Ort mit einem sonntäglichen Gottesdienst.

Zu dem Tierleben, das im unteren Teil der Tafel abgebildet ist, zählen: ein *Eisvogel, Rotschenkel, Meise, Stockente*, und eine *Eule*.

Unterer Rand

Sumpfdotterblume; Mohnblume; Hundsrose; Winde; Storchschnabel; Glockenblume.

Die Pferdemesse

Saddlers Mühle

North Baddesley
Ampfield
Chilworth

NORTH BADDESLEY   AMPFIELD   CHILWORTH

NORTH BADDESLEY, AMPFIELD und CHILWORTH

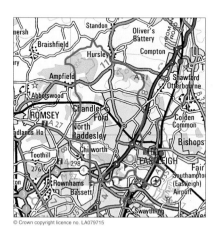

© Crown copyright licence no. LA079715

St. Johannes in North Baddesley

NORTH BADDESLEY

Obwohl North Baddesley mit seinen 9000 Einwohnern noch ein Dorf ist, weist es doch viele Züge einer kleinen Stadt auf. Noch 1921 gab es nur 400 Einwohner, zur Zeit des Kriegsausbruchs waren es jedoch schon beinahe 1000. Seine Nähe zu Southampton und Eastleigh lösten nach dem Krieg einen regelrechten Bauboom aus, während dessen große Häuserprojekte verwirklicht wurden. Das jüngste Projekt in der Gemeinde ist Valley Park, Chandler's Ford, das auf der Grenze zwischen dem Test Valley und dem Eastleigh Borough liegt.

Der Name Baddesley (altenglisch 'Baeddes Leah' oder 'Baeddis Gehölz') markiert die nördlichsten und südlichsten Ausdehnungen des New Forest; South Baddesley liegt in der Nähe von Lymington.

Oberer Rand

In der Mitte ist das *Wappen des Vorsitzenden des Parish Councils*. Zu den *Schilden* gehört das der *Ritter St. Johannis von Jerusalem*. Die mittelalterlichen Johannes-Ritter schlugen nach dem Schwarzen Tod im 14. Jh. ihr Hauptquartier in Baddesley auf. Sie blieben bis zu ihrer Auflösung, die sie mit den anderen religiösen Orden erlitten. Andere Schilde sind das der *Fleming*, Lords des Manor ab 1600; *Chamberlayne*, Lords ab 1781; *Mortimer*, die ab 1086 Land besaßen.

Mittelteil

In der oberen Mitte steht die *Pfarrkirche St. Johannis des Täufers*, die angeblich über einem heidnischen Tempel erbaut wurde. Sie steht auf dem höchsten Punkt eines langen, schmalen Grats, der in ost-westlicher Richtung verläuft. Teile stammen aus dem 14. Jh., die frühesten von 1304. Im Altarraum ist eine seltene Bibel von 1620.

Der *Schornstein* (oben links) bezeichnet die 1947 gegründete Chemiefabrik *Borden (UK) Ltd*. Sie beschäftigt rund 300 Leute und produziert unter anderem Klebstoffe und Frischhaltefolie. Darunter ist das *Manor House*, das auf dem Boden des Ritterhauptquartiers gebaut wurde, und dessen Keller wahrscheinlich noch von diesem stammt. Das Gebäude war im 16. Jh. wohl rechteckig um einen Brunnen im Küchenhof angelegt, aber was heute zu sehen ist, stammt hauptsächlich aus dem 18. Jh. *White Cottage* (oben rechts) ist eines der wenigen übriggebliebenen Wellblechhäuser, die nach dem Ersten Weltkrieg gebaut wurden. Die Gegend wurde 'Blechstadt zwischen Rownhams und Romsey' genannt.

Unter dem Manor House ist die *römisch-katholische Kirche*, die im April 1975 geweiht wurde. Vorher feierten die Katholiken den Gottesdienst in der St.Josephs Klosterkapelle in Romsey. Die erste Messe wurde von Bischof Derek Warlock gefeiert. Gegenüber der Kirche ist *Bede's Lea Gaststätte*.

Das große, weiße Gebäude in der vorderen Mitte ist die *Zentrale des Bauunternehmens Hall and Tawse*, wo früher die Fabrik der Reema Fertighäuser untergebracht war. Darunter sind verschiedene Pflanzen zu sehen, die sich in Elmer Bog finden, einem 24 Hektar großen Reservat des Hampshire Wildlife Trusts, das zu den 'Gebieten besonderen wissenschaftlichen Interesses' zählt. Die Pflanzen sind: *Weide; equisetum fluviatile; Geum; Sumpfdotterblume; Südliche Sumpforchidee*, und im Hintergrund *Riedgras* und *Schilf*.

Unterer Rand

Damwild; Pilze; eine *Grasmücke*, ein *Roter Admiralsschmetterling*.

AMPFIELD

Ampfield hat seinen Namen von der Quelle, die nahe der Kirche entspringt. Der früheste Name war 'An felde', wobei 'An' das keltische Wort für Quelle ist.

Oberer Rand

Die *Gospel- (Evangeliums-) Eiche mit einem Exemplar der Bibel darunter*. Dieser alte Baum markierte die Grenze der Gemeinde zu North Baddesley, und hier hielt die jährliche 'beating the bounds'-Prozession von Rogationtide, um einen Abschnitt aus dem Evangelium zu lesen. Die *Feder und das Tintenfaß* stehen für Richard Morley, den 'Heckendichter'. Seine Familie besaß Land in 'Anfield', und Richard besuchte die Schule in Baddesley. Er starb 1672 und wurde in Hursley beigesetzt; das *Wappen der Familie Heathcote*, die ab 1718 fünf Generationen lang Land besaß; *Töpferzeug* symbolisiert das traditionelle Dorfgewerbe. *Bloody Bridge* ('die blutige Brücke') in der Jermyns Lane. Nach der Legende wurde Cynegils, der erste christliche König von Wessex, 643 hier ermordet, wahrscheinlich von Schergen Edwins, des Königs von Northumbria.

Knapp Wood, Ampfield

Mittelteil

Oben ist *Ampfield House*, das 1760 von Joseph White erbaut wurde. 1902 wurde das Anwesen von der Verlegerfamilie Faber erworben, und später von den Hilliers Pflanzenschulen aufgekauft, denen es als Firmenzentrale diente.

Rechts des Hauses ist die *Women's Institute Hall*. Links und darunter sieht man die *Dorfpost* mit *roter Telefonzelle*. Seit Vollendung des Teppichs wurde der Laden in der Post geschlossen.

Das strohgedeckte, halbgezimmerte Gebäude in der Mitte ist die *elisabethanische Scheune* der Hawkstead Farm, die angeblich einst ein Stützpunkt für Schmuggler war. Unter der Scheune ist der *Wooley-Teich*, durch den die Grenze zu Braishfield verläuft. In früheren Zeiten wateten die Dorfjugendlichen durch den Teich, tauchten unter der Grenzkette hindurch und holten sich einen Kuß bei den wartenden Mädchen. Links unten ist die *St.Andreaskirche*, die auch liebevoll die 'Kirche im Gehölz' genannt wird. Ampfield wurde erst 1841 zur eigenständigen Gemeinde, und am St.Markustag wurde die Kirche, erbaut an einem von John Keble aus Hursley

bestimmten Ort, geweiht. Bei der Zeremonie waren die führenden Mitglieder der Oxford Group anwesend.

Rechts der Scheune ist das 'alte' *Potters Heron Hotel*, das über einer alten Töpferwerkstatt erbaut wurde. Die Töpferscheibe hieß auch 'hern' wegen ihrer Dippbewegung, und 'hern' ist ein anderers Wort für 'Heron' = Reiher. Gleich in der Nähe sind die *Tongruben*. Darunter ist eines der ältesten Häuser von Ampfield, '*Mrs Topping's Cottage*'. Links sieht man das Schild der Gaststätte *White Horse*, die *Grundschule von Ampfield*, und das *Kriegsdenkmal*.

Unten ist die '*Straight Mile*', ein sehr attraktives Stück der Straße von Romsey nach Winchester. Die Straße ist von Bäumen begrenzt, von denen viele von ortsansässigen Menschen gekauft wurden, um sie vor dem Fällen durch Landschaftsentwickler zu retten. Unten rechts ist *Thomas, die Dampfmaschine*, deren Schöpfer, der Rev. W. Awdry, als Junge im Dorf lebte, als sein Vater Vikar von St.Markus war.

Unterer Rand

Dachs; Drossel; Forelle und *Hundsrosen.*

Ampfield House

CHILWORTH

Das Dorf, das im Domesday-Buch als Celeworda geführt wird, hat zwei Teile: Das moderne Chilworth, das entlang der baumgesäumten 'neuen' Straße von Southampton nach Romsey liegt, und das alte Chilworth, das um die 'alte' Straße gebaut wurde.

Oberer Rand

Ein *römischer Soldat*; das *Fleming-Wappen*. John Fleming kaufte 1827 Chilworth Manor; *Chilworth Manor*, das 1967 an die Universität von Southampton verkauft und in ein Wohnheim umgewandelt wurde. 1982 kam es zu weiteren Bauaktivitäten, als die prestigeträchtigen Business-, Wissenschafts- und Technologiekomplexe errichtet wurden. Der *Turm der Winde* wurde 1854/55 von Henry Lucas, einem exzentrischen Künstler, Bildhauer und Schriftsteller als Wohnhaus und Atelier gebaut. Er war 30m lang und 20m hoch, wurde aber 1955 abgerissen. In dem *Ziegelofen* wurden viele der Ziegel aus dem modernen Southampton hergestellt.

Mittelteil

Oben rechts ist die *Pfarrkirche St.Denys*. Sie ist normannischen Ursprungs und war zu Anfang des 19.Jhs sehr heruntergekommen. 1812 wurde sie von Peter Serle, dem Lord des Manor, auf eigene Kosten wieder aufgebaut. Die Kirche ist für ihre Glocken berühmt, die 800 Jahre alt und wahrscheinlich die ältesten in Hampshire sind. Unter der Kirche ist die *Post*. Eigentlich als Unterkunft für die Hunde des Gutsherrn gebaut, wurde das Gebäude 1900 zur Post umfunktioniert. Links sieht man einen *Reiter* in der Reitschule beim Sprung. Das kleine *Kriegsdenkmal* ist in der Mitte; rechts sieht man die *Beehive Cottages* auf beiden Seiten der Auffahrt zum Manor. Unten links ist das *Clump Inn*, dessen Name von einer alten Erdaufschüttung kommt, auf deren 100m hohen Spitze eine alte Warnleuchte angebracht war. Die *Töpfe* im Vordergrund symbolisieren die Töpferwerkstatt der Manor Farm.

Unterer Rand

Hirsch; Fuchs; Hasen; Eichhorn und *Igel*.

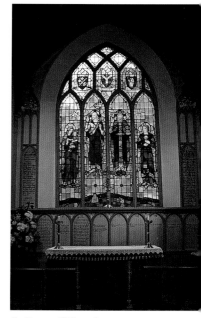

St.Denys, Chilworth

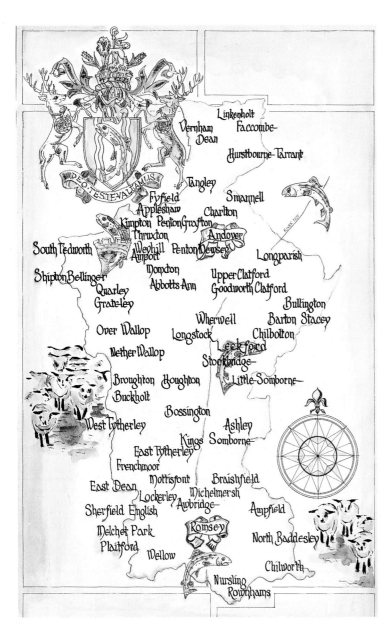

Der Entwurf für die Borough-Karte auf der Tafel aus Stockbridge, gemalt von Robina Orchard

148

QUELLENANGABEN UND DANKSAGUNG

Recherche, Einleitung und Beschreibung der Tafeln: Cyril Piggott
Persönliche Leitung der Herstellung des Teppichs: Robina Orchard
Chefredakteur: Annie Bullen
Redakteur Geschichte: David Allen
Koordinator: Nigel Sacree
Textverarbeitung: Lynn Hellyer und Stephanie Kelly
Design, BAS Printers Sue Malin

Abbildungsnachweis

Seiten 2 und 3	Andover Advertiser
Seiten 90, 92b und 105	Die Armeeflugschule
Seite 130b	Dunwood Manor Golfklub, Awbridge
Fotos des Teppichs und Seite 53	David Facey
Seiten 37, 40, 69a, 74b und 115b	Reg Gillam
Seite 24b	Lucinda Green
Seiten 18b, 22, 23a, 41, 54, 55, 56b, 57, 64, 69b, 73, 83, 86, 91, 92a, 93, 96, 97b, 99a, 103b, 104b, 111b, 114, 115a und 128	Gordon Gumn
Seite 4	Hampshire Museum Service
Seiten 5, 30b, 32, 44, 45b, 46, 65b, 80, 82a, 85, 130a, 133 und 141b	Ed Hendry
Seite 129b	Hillier Gardens und Arboretum
Seiten 9 und 11	Needlecraft Magazine
Seite 63b	Robina Orchard
Seite 45a	Mike Otley
Seite 74a	John Randall
Titelfoto und Seite 98	Nigel Rigden
Seiten 84a und 103a	Nigel Sacree
Seiten 121b, 125 und 131	Pat Sillence
Seiten 17, 18a, 19, 23b, 24a, 25, 28, 29, 30a, 39, 48, 49, 56a, 60, 61a, 62, 63a, 65a, 72, 76, 77, 82b, 84b, 87, 97a, 99b, 102, 104a, 109, 110, 111a, 116, 117, 120, 121a, 122, 123, 124, 129a, 32, 136, 137, 138, 139, 140, 141a, 144, 145, 146 und 147	Glenda Sims
Seiten 33, 38, 61b und 81	John Walsh

Alle, die an der Entstehung des Teppichs mitwirkten, darunter:

1. VERNHAM DEAN, LINKENHOLT, UPTON, FACCOMBE, HURSTBOURNE TARRANT

Robert Ablett, Stephen Ablett, Brenda Allen, Stephanie Allsopp, Joy Anthony, Budgie Austin, Jean Baker, Nicola Blacker, Paul Blacker, Joanne Brock, Rachael Brock, Jill Brotherton, Ben Brown, Bassy Brown, Nigel Brown, Richard Burden, Sara Burden, Joan Butchart, Susan Carter, Lee Catherine, Nick Cherrington, Abigail Cook, Dora Cooke, Clara Cooper, Magnus Cooper, Lee Cox, Cecilia Curtis, Philip Daw, Jodie Daw, Christine Dawe, Andrew Dewey, Daniel Dines, Julia Dodson, Grace Dowse, Kevin Dyer, Eleanor Fairbrother, Tom Fairbrother, Stella Foster, Ethna Foster-Carter, Angela Freer-Smith, John Freer-Smith, Ewan Gibson, George Gomez, Ian Gomez, Basil Goode, Margaret Goode, Kristie Grant, Sammy Grant, Simon Hales, Zoe Hales, John Hamblin, Sarah Harley, Lowenna Harbottle, Joan Harris, Jennifer Hawke, Catherine Hensman, Margaret Herriott, Muriel Hewitt, Nancy Higginbotham, Simon Hillier, Sylvia Hingley, Isobel Hogbin, Patricia Holland, David Holmes, Florence Holmes, Liz Holmes (Design), Polly Hosier, Samantha Humphries, Sarah Humphries, Turner Hume, Hilary Iveson, Nicola Jarvis, Paul Jarvis, Emma Jenkin, Mary Luton, James Maddox, Dot Matheson, Abigail Maw, Muriel May, Stefan May, Alex Menzies, Valerie Middleton, Peter Middleton, Hannah Mills, Verity Mills, Vernham Mills, Pam Moore, Claire Morgan, Paul Noutch, Delia Page, Gill Palmer, Katherine Pattison, Emma Peart, Julia Peart, Richard Peel, Zoe Pocock, Penny Portman, Agnes Rasser, Dot Raynsford, Catty Riley, Matthew Rose, Simon Rose, Charlotte Ross, Victoria Robinson, Susie Rushbridge, Kelly Ryder, Maureen Sargent, Edward Sclater, Margaret Seward, Natasha Shepherd, Andrew Simmon, Mark Simmon, Gemma Slator, Rob Smith, Renee Smith, Clare Smith, Antoinette Spencer, Darren Squire, Craig Storey, Andrew Strong, Nicola Strong, Wendy Terry, Guy Terry, Mark Terry, June Vining, Jame Wood, Matthew Watkins, Helen Wurzer, Matthew Withycombe, James Withycombe, Beverley Warne, Jonathon Walker, Paul Wallington, Joanne Winson.

2. TANGLEY, WILDHERN, HATHERDEN, DIE APPLESHAWS, PENTON

TANGLEY, WILDHERN, HATHERDEN, Jill Donnelly, Brenda Dunning, Kay Griffin (Design), Susan McGregor, Jan Maynard, Eileen Measures, Marie Spencer, Linda Trueman, Anne Vincent, Denise Wilson, Doreen Winstock; *APPLESHAW,* Valerie Baggallay, Monica Bradley, Delsa Brooks, Barbara Chapman, Alec Clarke (Design), Eileen Clarke, Meg Downs, Winnie Howl, Ursula Merrington, Mary Philpotts, Jane Tarrant; *PENTON,* Jackie Atkinson, Helen Burroughs, Norah Bennett, Nancy Bennett, Elizabeth Dampier-Child, Ann Isherwood, Nancy Kerswill, Mary Lawes, Margaret Linforth (Design), Delphine

Maudsley, Rosemary Moody, Launa Nias, Christine Saunders, Peggy Silburn, Mary Stevens, Florrie Tarrant, Joyce Thorn, Dagma Volkers, Mary Wetherall, Dorothy Williams.

3. CHARLTON, KNIGHTS ENHAM, ENHAM ALAMEIN, SMANNELL

CHARLTON, Ann Berry, Dianne Cammack, Margaret Crossley, Jean Dempster, Margery Levy (Design), Iris Lewis, Linda Peck, Linda Marshall, Brenda Mattick (Design), Liz Newman, Stella Snowden, Joy Taylor; *ENHAM ALAMEIN AND KNIGHTS ENHAM,* Jane Borley, Patricia Borley, Nora Bullen, Renee Bulpit, Brenda Mattick (Design), Julia Reilly (Design), Betty Waters; *SMANNELL,* Sue Armitage, Evelyn Bright, Anne Brook (Design), Phyl Brook, Nora Bullen, Renee Bulpit, Mavis Clarke, Jean Dance, Ruth Davies, Joan Figgins, Joan Gilbert, Sarah Gouriet, Virginia Haines, Vyvyan Hartley, Jennie Humphreys, Susan Joseph, David Jardine, Susan Jardine, Jill Loveridge, Brenda Mattick, Peggy Payne, Gilly Radford, Julia Reilly, Freddie Smith, Margaret Smith, Betty Waters, Peggy White, Henrietta Wood, Pupils of Smannell C of E Primary School.

4. ANDOVER

Elizabeth Acres, Patricia Aitken, Elinor Allan, Gladys Allan, Evelyn Allen, Anne Baker, Dorothy Barlow, Jeanne Birks, Felicia Calin, Daphne Channing, Winnie Daly, Violet Dannatt, Carol Grimstone, Elsie Hayward, Cynthia Jewitt, Niel Jewitt, Rosalyn Lockwood, Meg McConnell, Chris Meads (Design), Lynda Newberry, Morag Painter, Linda Peck, Jean Ross, Elizabeth Rowe, Kathy Rowe, Jean Spurgeon.

5. THRUXTON, FYFIELD, KIMPTON

THRUXTON, Susan Buckmaster, Christine Barrett, Nicola Barrett, Elizabeth Butterworth, Elizabeth Cosgrove, Linda Lilley (Design), Adam Lilley, Rachel Lilley, Hugh McPartlan (Design), Margaret Moylen-Jones, Nora Nash, Frankie Richcord; *FYFIELD,* Cheri Baster, Molly Baster, Win Carr, Jenny Forsyth, Azalea Mayhew (Design), Kathleen Pennells, Augusta Rose, Ann Rowe, John Rowe, Sheila Woodwards, Gillian Yarde-Leavett (Design); *KIMPTON,* Debbie Baker, Pam Buchanan, Karla Flambert, Roger Flambert (Design), Stella Flambert, Vicky Flambert, Pat Grinter, Kathleen Henderson, Azalea Mayhew (Design), George McLaughlin, Wendy McLaughlin, Sany Odone, Philip Ray, Arthur Rogers, Mary Rogers, Julie Rustin, Alice Smith, Jill Smith, Jo Turgoose, Gillian Yarde-Leavett (Design).

6. WEYHILL, SHIPTON BELLINGER, TIDWORTH

TIDWORTH, Molly Ayres, Barbara Babman, Sybil Baugh, Maureen Dagger, Gladys Fields, Angela George, Gwen

Greenwood, Muriel Harris, Eric Johnson (Design), Heather Kinch, Alison Lewis, Sylvia Lewis, Andrew Loveless, Mr P J Loveless, Aileen Martin, Barbara Oatley, Edward Otway, Sylvia Pearce, Doris Sweeney, Dan Symonds (Design), Marcia Vickery, Muriel Vickery, Margaret Wadcock, Joan West, Mary Williams; *SHIPTON BELLINGER*, Sue Ball, Maureen Berry, Freda Bowden, Marie Bryan, Annelise Chamberlain, Robert Cooke (Design), Carole Estlick, John Flowers, Rosemary Flowers, Roz Hanson, Sylvia Hart, Heather Herring, Rozanna Herring (Design), Jean Hinde, Antonia Hiscocks, June Jay, Pam Kearley, Ryan Kearley, Jean Mills, Gwen Phillips, Lynn Phillips, Barbara Pottinger(Design), Ellen Reynolds, Linda Reynolds (Design) , Mary Russell, Alison Sperry, Wendy Sperry, Beryl Vickers, Renate Wilson, Val Winfield, Edward Workman, James Workman, Liz Workman, Rebecca Workman; *WEYHILL*, Jean Barrett (Design), Susan Coleman, Marina Colley, Dorothy Elmer.

7. MONXTON, AMPORT, GRATELEY
MONXTON, Douglas Bliss, Bridget Busk, Carol Childs, Pamela Childs, Diana Coldicott, Joan Couper, Judy Crick, Shona Crick, Brenda Gower, Maisie Lock, Winifred Lock, Irene Marver, Meg McConnell (Design), Lucy Munden, Sylvia Potter, Carol Pratt, Heather Pratt, Veronica Rushworth-Lund, Joy Smith; *AMPORT*, Beryl Baglin, Heidi Carre, Sheila Goacher, Maureen Gumn, Catherine Grylls, Marisa Hayhurst, Sheelagh Mathias, Elizabeth Orchard, Robina Orchard (Design), Betty Spurgeon; *GRATELEY*, Maureen Booth, Rhoda Bucknill (Design), Velma Collett (Design), Anne Collier, Lucy Felton, Edna Forsyth, Eileen Jeffries, Anne King, Elizabeth Medley, Heather Popham, Pat Richards, Hilary Seddon, Juanita Sharman, Pattie Tayler, Gwyneth Tierney, Stephanie Wheatley.

8. ABBOTTS ANN, LITTLE ANN
Alan Selby (Design), Jane Simson.

9. GOODWORTH CLATFORD, UPPER CLATFORD, BARTON STACEY
GOODWORTH CLATFORD, Marjorie Eagar, Anne de Nahlik (Design), Claire Russell (Design), Peggy Strange; *UPPER CLATFORD*, Pamela Baker, Peggy Bandy, Pooch Bathurst-Brown, Valerie Combes, Lina Duckworth, Mrs Edwards, Dee Fenton, Mary George, Jennifer Greenwood, Edith Hunt, Rosemary Johnson-Ferguson, Sylvia Kennedy, Judy Marr, Patricia Mason, Geraldine McCaulder (Design), Patricia Simmonds, Rosemary Walker, Barbara Walter; *BARTON STACEY*, Patricia Coleman, Monica Austin, Gillian Beresford, Jenny Briscoe, Hazel Deacon, Wendy Dewey, Barbara Evans, Audrey Freemantle, Moreen Gifford-Hull, Shane Hearn, Julia Hebden, Elver Jackson, Helen James, Susan Lawton, Helen Litton, Julia Mason, Mavis May, Cheryl McCracken, Sally

Merrison, Jean Mills, Margaret Morris, Anna Peebles, Gordon Piper, William Powell, Vera Riggs, Holly Sambell, Jan Sambell (Design), Ann Scoates, Kelly Scoates, Sarah Scoates, June Stacey, Marilyn Stevens , Jean Talbot, Sandy Thornton, Inja Wainwright, Catherine Wilkinson.

10. CHILBOLTON, WHERWELL, LONGPARISH
CHILBOLTON, Mavil Arnold, Frances Batchelor, Michael Batchelor, Lizzie Batchelor, Sue Batchelor (Design), Thomas Batchelor, Ann Blythe, Madeleine Farrand, June Hayman Joyce, Peter Le Breton, Jean Stephens, Jennie Stobart, Edith Vincent, Pupils of Wherwell Primary School, Members of Chilbolton W.I.; *WHERWELL*, Evelyn Violet Hopkins (Design); *LONGPARISH*, Margaret Barber, Sue Elford, Nancy Goodwin, Sarah Harris , Kathleen Hewlett, Jane Jackson, Margaret Johnson, Kathleen North, Anne Russum, Ella Scott, Mary Snow (Design), Dick Snow, Jane Snow, Peggy Snow, Sue Stevens, Rosemary Tennant, Cecil White, Joy White.

11. DIE WALLOPS
NETHER WALLOP, June Anderson, Jane Blaxter, Pat Brown, Joyce Blanchard, Mary Butler Stoney, Anne Burkett, Sheila Dickson, Doug Dickson, Sheila Eyre, Christine Fell, Jackie Fenn, Pat Foot, Jane Gardiner, Fiona Gardiner, Jocelyn Gumn, Kit Harper, Catherine Henderson, Antonia Henderson, Camilla Henderson, Venitia Henderson, Rosemary Jepson Turner, Alma Mouland, Sheila Mouland, Susan Osmond, Anthea Russell, Linda Sherwood, Ellen Smith, Jackie Walker, Phyllis Weeks, Margaret Williams (Design); *OVER WALLOP*, Nancy Franks, Jane Gardiner, Marion Gleadow, Catherine Henderson, Antonia Henderson, Camilla Henderson, Venitia Henderson, Mrs Holton, Jeanette Kinch, Jill Lovett, Mary Rayner, Elizabeth Silcock, Mrs Willey, Margaret Williams (Design).

12. KARTE DES BOROUGH MIT STOCKBRIDGE, LONGSTOCK, LECKFORD
STOCKBRIDGE, LONGSTOCK, LECKFORD, Connie Alderman, Margery Andrews, Barbara Belcher, Marina Bulpitt, Penny Burnfield, Lillian Carrey, Gillian Clark, Lucy Clark, Melaine Clark, Edna Clarke, Pamela Clarke, Kay Clayton, Ena Croker, Dorothy Darby, Rose East, Carolyn Evans, Kate Gibbons, Shirley Guard, Monica Harding, Iris Harman, Rosalind Hill, Sue Hofman, Margaret Humber, Jean Johnson, Elfie Kerrison, Mary Lock , Anne Merridale, Mrs Monaghan, Anne Musters, Mabel Nelmes, Joyce Pye Smith, Betty Rawlence (Design), Dorothy Richardson, Mary Saunders, Barbara Shearwood, Dame Nancy Snagge, Margery Stares, Nina VanGalen, Gladys Wearing, Pauline Webster; *KARTE DES TEST VALLEY BOROUGH*, Lucy Felton, Sheelagh Mathias, Robina Orchard (Design).

13. HOUGHTON, BOSSINGTON UND BROUGHTON
HOUGHTON & BOSSINGTON, Georgia Burgess, Sophie Busk, Pat Cannings, Joan Chant, Margaret Carter, Ann Fairey, Terence and Dorothea FitzGibbon (Design), Esme Fellows, Jill Harding, David Howe, Carol Norton, Lyn Snellgrove, Mary Underwood; *BROUGHTON*, Veronica Chubb, Margot Dent, Elsa Drew, Terence and Dorothea FitzGibbon (Design), David Howe, Joyce Monk, Kathleen Palmer, Diana Puckle, Susan Turpin, Susan Joyce.

14. KING'S SOMBORNE, LITTLE SOMBORNE, UP SOMBORNE, ASHLEY
Davina Adams, Barbara Allan, Louise Andrews, Jeremy Aucock, Kristy Aucock, Linda Aucock, Jenny Baker, Vic Baker, Samantha Baker, Theresse Baker, Audrey Baker, Janet Baker, Muriel Bailey, Prue Barlow, Barbara Barnes, Jaqueline Barnes, James Barry, Audrie Bendall (Design), Frank Bendall, Lily Biddlecombe, Movita Bird, Pat Bird, Eddie Black, Barry Blackmore, Lisa Blackmore, Margery Blake, Kate Broadbridge, Barbara Broadbridge, Anthony Brooke-Webb, Joyce Brooke-Webb, Susannah Brooke-Webb, Simon Brooke-Webb, Tim Brooke-Webb, Joan Brown, Win Brown, Anne Burrell, David Burrell, Vera Burt, Philip Burt, Valerie Burton, Dorothy Butcher, Susan Byrne, Robin Cardwell, Rosemary Cardwell, Ann Carr, Jackie Chalcraft, Elsie Chapman, Phyl Chapman, Anne Clay, Ernie Clay, Henry Cole, Bridget Coleman, Penny Coleman, Loretta Collier, Vivien Clowes, Susan Cripps, Charlotte Cripps, Jean Cummings, Joan Dowty, Geoff Drinkwater, Mary Dutnall, Mike Dutnall, Penny Dyke, James Ede, Sarah Ede, Genette Edwards, Rachel Ewence, Nora Evans, Denise Evans, Diana Eubank-Scott, Lynsay Eubank-Scott, Jessica Eubank-Scott, Andrew Flanaghan, Sheila Fletcher, Bill Fletcher, Phyllis Gardner, Natasha Geary, Steven Geary, Angela Gentry, Harriet Gentry, Richard Gentry, Sarah George, Hannah George, Ivy Gibbons, Jessie Grace, Pat Grieveson, Amy Green, Ann Karin Gunnarson, Mollie Haines, Rita Harfield, Julia Hawkswood, Caroline Hervey-Bathurst, Catherine Henderson, Gillian Hilton, Paul Hilton, Alexander Hilton, Katherine Hilton, Olive Hoare, Ralph Hone, Sybil Hone, Ann Marie Hook, Rosemary Horsey, Margaret Howard, Paul Hurst, Sue Jackson, Alex James, Vera Jones, Claire Jones, Chrissie Johnstone, Tamila Johnstone, Berin Johnstone, Sylvia Kay, Sarah Keeley, Delia King, David King, Lesley King, Stephen King, Jane King, Donna Lane, Jean Lane, Dale Lane, Lily Lane, Lilian Light, Connie Machin, Pat Mahoney, Edna Mackenzie, Patricia Mackenzie, Ann Mackenzie, Anna McCay, Nola McIntosh, Judy McPhee, Sarah McPhee, Nick McPhee, Freda Marchant, Richard Martin, Susan Martin, Terence Martin, Jeanne Mills, Pam Monk, Patricia Newell, Hedley Newell, Cathy Newell, Rowland Newell, Angela O'Leary, Archie O'Leary, Emma O'Leary, Lisa O'Leary, Sian O'Leary, Shane O'Leary, Millie Oram, Denise Orange, Ethel

Osborne, Helen Pearson, Janet Pearson, Gordon Pearson, David Pearson, Chris Pearson, Andrew Peel, Amanda Peel, Mary Perry, Irene Pigott, Cyril Pigott, Nigel Potter, Muriel Potter, Richard Potter, William Potter, Jane Purdue, Betty Ray, Eve Read, Mary Rebbeck, Paul Reynolds, Marjorie Richardson, Janice Robbins, Kevin Robbins, Kerry Robbins, Ellen Rumbold, Sharon Rumbold, Mary Rustell, Bill Saltmarsh, Phyllis Saltmarsh, Kate Saunders, Phil Saunders, Ruth Shepard, Daphne Shotton, Pat Sillence, Lorna Simms, Rosa Sims, Mike Simms, Syd Skinner, Pamela Skinner, June Smith, Les Smith, Adam Spurling, Sue Spurling, Robert Spurling, Ian Stewart, Laura Stewart, Arden Stewart, Kevin Stubbs, Jennifer Stubbs, Joanna Stubbs, Benjamin Stubbs, Amy Swatton, Simon Taylor, Audrey Thomas, Sheila Tickner, Kevin Tickner, Margie Till, Claire Tongs, Mary Turner, Simon Turner, John Vanderpump, Lucy Vanderpump, Joan Verrier, Muriel Way, Leslie Way, Caroline Weeks, Sharron Whatley, Pamela Whatley, Andrea Whatley, Iris Whatley, Nicky Witcher, Mike Woodcock, Kenneth Woolfit, Ian Wilson, Sally Wilson, Jeannie Wilson, Robert Wilson, , Staff and pupils of King's Somborne Primary School, , Hannah Amos, Lynn Amos, Simon Amos, Kieron Andrews, James Aucock, Kirsty Aucock, Dean Baker, Lorna Baker, Michael Baker, Tanya Baker, Claire Baldwin, Jennifer Bamford, Enid Bevan, Aurelie Bevan, Wayne Black, Lisa Blackmore, Helen Bolderstone, Nicola Boyce, Claire Broome, Nicola Bunch, Paul Burrell, Jonathan Cardwell, Thomas Cardwell, Emma Carruthers, Gary Carruthers, Samantha Carruthers, Olive Coates, Amy Coultas, Paul Down, Simon Down, Kevin Downing, Emma Dyke, Caroline Eales, Mark Edwards, Peter Edwards, Mark Evans, Tammy Ewence, Danny Foyle, Natasha Geary, Bernard Grant, Barry Grievson, Wendy Hood, Deborah Howard, Jean Howard, Robert Jackson, Samuel Jackson, Debra Keeley, Geoffrey King, Donna Knights, Charlene Lane, Paul Lane, Max Langton-Lockton, Tabitha Langton-Lockton, Natalie Muggeridge, Wayne Nelmes, David Newell, Sarah Newell, Sian O'Leary, Ashley Oram, David Portsmouth , Jessica Portsmouth, Michael Quick, Emma Rioldi, David Roberts, Victoria Roberts, Thomas Robison, Julie Ross, Debby Sacree, Anita Selman, Lucy Sherred, Emma Snellgrove, Laura Snellgrove, Gary Tickner, Stephen Tickner, Marcus Tongs, Joyce Trueman, Fiona Turner, Richard Verrier, Janice Waterman, Justyn Waterman, Kelly Westbrook, Angela Worgan, Lee Young.

15. MOTTISFONT, NURSLING AND ROWNHAMS, EAST TYTHERLEY
MOTTISFONT, Margery Abraham, Madeleine Aylward, Sylvia Blake, Anne Cameron, Doris Cannons, Barbara Cavanagh, Catherine Cavanagh, Olivia Cavanagh, Susan Clutterbuck, Rachel Fowler, Cythia Fletcher, Canon David Howe, Moira Hulugalle, Edna Mathews, Victoria Muers-Raby, Dolly Newell, Sylvia Pankhurst, Theresa Port, Margaret Spreadbury, Barbara-

Anne Thomas, Joan Thompson, Valda White, Cathy Wood, Gordon Wood (Design); *NURSLING AND ROWNHAMS*, Barbara Dawe, Christopher Kemp, Lin Kemp (Design), Judith Lawry, Bunny Mann, Leslie Mann, Mildred McGroarty; *EAST TYTHERLEY*, Margaret Downe, Ina Redshaw, Pamela Russell, Joyce Sowden, Marjorie West (Design).

16. MICHELMERSH, BRAISHFIELD, LOCKERLEY
MICHELMERSH, Joyce Brown, Celia Cox, Mary Lees, Shirley Morrish (Design), Eileen Newcomb, Vanessa Pink, Shirley Price, Elizabeth Webb, Betty Welch; *BRAISHFIELD*, Joyce Alford, Margaret Batchelor, Barbara Bell, Sarah Boothman, Millie Dunford, Elizabeth Ellison, Evelyn Eustace, Jose Fare, Olive Fuller, Esme Kidd, Marilyn Madigan (Design), Enid Oliver, Ruby Payn, Margery Penton, Patricia Roe, Diana Selka, Elizabeth Sheppard, Magdalen Sleeman, Ms E Stuart-Smith, Jill Van-Rooijen, Freda Vrotsos, Head Master and pupils of Braishfield Primary School, Katie Appleton, Stuart Bakewell, Alexia Bell, Thomas Bird, Charlotte Butterfield, Lucy Butterfield, Stuart Chalder, Beverley Corrigan, Robin Corrigan, Hannah Cross, Daniella Dejonge, Koos Dejonge, Tom Dejonge, Jonathan Forch, Josh Hampton, Andrew Hansom, Jonathan Haysom, Darren Hayter, Ashley Herridge, Biba Herridge, Emily Hobday, Alex Hodgson, Damian Howkins, Lucy Howkins, Fiona Hunt, Guy Hunt, Oliver Johnson, Richard King, Ruth King, Luke Kington, Mark Krey, James Lanham, Nicholas Lawson, Caroline Leach, Ben Leatherdale, Luke Leatherdale, Rowena Lewis, Vicky Lewis, James Light, Joanne Light, Darren Manton, Neil McKay, Morris Miles, Darrel Milsom, Richard Milsom, Colin Morris, Hayley Morris, Rachael Morris, Sarah Musslewhite, Lorraine Norman, Ryan Norman, Michael Passe, Sharron Passe, Lee Payne, Matthew Payne, Ewen Ross, Andrew Scott, Peter Scott, Christopher Spacagna, Jenny Spacagna, Ralph Stevens, David Thomas, Stacey Tiley, Brett Turner, Anna Vrotsos, Sebastian West, Tristan West, Phillip Wildman, Cally Wilkinson, Jenna Wilkinson, Timothy Wordsworth; *LOCKERLEY*, Olwen Allen, Betty Anning, Joyce Bullock, Peter Bullock, Frederick Courtney OBE, Marion Courtney (Design), Jo Earwood, Dolores Ford, Diana McMillan, Margaret Niblett, Mollie Parsons, Isabel Stileman, Margaret Williams.

17. AWBRIDGE, SHERFIELD ENGLISH, WELLOW
AWBRIDGE, Doreen Bethell (Design), Ann Goulden, Pauline Harris, Pam Hillier, Margaret Hutchens, Anne Jones, Rosemary Oakeshott, Joy Skinner, Liz Stringer; *SHERFIELD ENGLISH*, Lilian Biddlecombe, Tessa East, Myra Galton, Margaret George, Ursula Goodyear, Fay Heath (Design), Shirley Lemon, Barbara Sharp, Elisabeth Smith; *WELLOW*, Valerie Braithwaite, Marjorie Dorling (Design), Kathleen Eburn, Maureen Harris, Jean Watkins, Joyce Weberstadt, Psyche Veall.

18. ROMSEY, ROMSEY EXTRA
Mary Akerman, Madeleine Aylward, Marie Bailey, Margaret Barber, Phoebe Bartleet, Iris Bradstock, Jan Brown, Pat Caldwell, Florence Clubley, Sara Credland, Joan Darlingon, Violet Delves, Joyce Downer, Thelma Dowling, Joan Duley, Elizabeth Ford-Smith, Caroline Gardiner, Olive Grant, Dora Grieves, Bib Hale, Doreen Hedger, Joy Hendley, Patti Johnson, Annette Jones (Design), Janet Knowles, Yvonne Matcham, Jan Middleton, Sara Moore, Phyllis Newman, Pam Palmer, R Pennells, Elizabeth Pickard, Stephanie Powell, Nan Ramsden, Betty Salter, Eileen Seaman, Mary Seaman, Carole Smith, Mary Thornton, June Thorpe, Chris Turton, Evelyn Wardingley, Nancy Wells, Grace White, Barbara Whittle.

19. NORTH BADDESLEY, AMPFIELD, CHILWORTH
NORTH BADDESLEY, Clothilde Bulling, Cas Hamilton, Pam Morecraft, Doreen Parker (Design), Geoff Pretty (Design), Eileen Siers, Doris Stapleford, Lilian Thomason (Design), Jean Trundle (Design); *AMPFIELD*, Phyllis Harris (Design), Pupils of Ampfield C.E.Primary School, Luke Andrews, Simon Andrews, Chloe Anthias, Penelope Anthias, Robert Birkett, Alison Brett, Thomas Burden, Neil Chapman, Matthew Clancy, Paul Day, Christopher Drew, Timothy Evans, Caroline Everden, Roland Fowler, Samantha Garner, Maria Gratton, Alexandra Gray, Jennifer Langridge, Matthew Langridge, Joanna Lawes, Sarah Lawes, Helen Oldham, Alexander Ralph, Simon Rusher, Natasha Scarrott, Carley Stephens, Matthew Storey, Mitglieder des Ampfield Women's Institute, Mitglieder der Gemeindeverwaltung Ampfield, Mitglieder des „Get Together Club" aus Ampfield, Mitglieder der St.Marks Handarbeitsgruppe; *CHILWORTH*, Glenna Burdsall, Pat Cameron, Jean Hudson, Joan Mears, Betty Mobbs, Betsy Lester, Shelia Robinson, Frank Stokes (Design), Janet Stokes, Moira O'Malley, Norah Wynne.

Hinweis: *Die Einzelheiten und Namen der Mitwirkenden, die oben aufgeführt sind, wurden von Repräsentanten der einzelnen Teppich-Gruppen mitgeteilt.*

Druck: BAS Printers Ltd, Over Wallop, Stockbridge, Hampshire